Tudo posso,
MAS NEM TUDO
me convém

Dra. Gisela Savioli

Tudo posso,
MAS NEM TUDO
me convém

Edições Loyola

Preparação: Maurício Balthazar Leal
Capa e foto: Viviane Bueno Jeronimo
Diagramação: Ronaldo Hideo Inoue
Revisão: Renato da Rocha

Edições Loyola Jesuítas
Rua 1822, 341 – Ipiranga
04216-000 São Paulo, SP
T 55 11 3385 8500
F 55 11 2063 4275
editorial@loyola.com.br
vendas@loyola.com.br
www.loyola.com.br

ISBN 978-85-15-03780-3

21ª edição: maio de 2015

conforme novo acordo ortográfico da Língua Portuguesa

© EDIÇÕES LOYOLA, São Paulo, Brasil, 2010

A Deus,
por não escolher os capacitados, mas por capacitar os escolhidos.

Ao meu amado marido, Roque,
que com seu incentivo constante me permitiu realizar um sonho:
ser uma profissional na área da saúde
e assim poder cuidar da obra-prima de Deus:
o corpo humano, onde habita o Espírito Santo.

"Fale de sua aldeia e estará falando do mundo."

Dostoievski

"Toda verdade passa por três etapas:
primeiro, ela é *ridicularizada*. Depois, é violentamente *antagonizada*.
Por último, é *aceita universalmente* como autoevidente."

Arthur Schopenhauer

SUMÁRIO

PREFÁCIO

Confesso que, quando a Dra. Gisela começou a empregar a dieta sem glúten com seus pacientes, fiquei apreensivo, visto que sabia da polêmica existente entre os profissionais da área médica e os de nutrição que indicam esse tipo de alimentação somente para os celíacos, ou seja, aqueles que apresentam evidências clínicas, imunológicas e histopatológicas de intolerância ao glúten.

O tempo foi passando e a cada resultado espetacular que a minha querida Gisela conseguia com o emprego da dieta sem glúten em não celíacos, ou seja, naqueles que não preenchiam as especificações para o diagnóstico da doença celíaca, nem da alergia ao trigo, mais me enfronhava nos bancos de dados científicos sobre o assunto. Fiquei tão entusiasmado com seus resultados que comecei a indicar para os meus pacientes que necessitavam reduzir peso o tratamento da Dra. Gisela, ou seja, uma reeducação alimentar à custa de eliminação do glúten, embora soubesse da inexistência de qualquer tipo de evidência científica que corroborasse esse tipo de procedimento.

A doença celíaca é assunto muito estudado no mundo todo e, embora se soubesse muito a seu respeito, o entendimento sobre ela vem mudando paulatinamente com a descoberta do complexo da zonulina. Esta é uma proteína liberada ao nível do intestino delgado — por conta da presença do glúten —, tornando a mucosa intestinal permeável a micróbios e também a substâncias não habitualmente absorvíveis pelo organismo, ocasionando, assim, toda a sintomatologia intestinal e extraintestinal da enteropatia celíaca.

Há muito se conhecia outro tipo de pacientes, que não tinham os marcadores genéticos e imunológicos dos celíacos, bem como suas alterações histopatológicas características, mas que apresentavam sintomas intestinais e extraintestinais relacionados à ingestão de glúten. Contudo, foi somente a partir dos últimos cinco anos que surgiram vários trabalhos científicos que propõem uma nova entidade nosológica: síndrome da sensibilidade ao glúten não celíaca (SGNC). Nos pacientes com esse diagnóstico, os sintomas intestinais e extraintestinais desapareciam com a dieta isenta de glúten e rapidamente retornavam quando os pacientes ingeriam alimentos com glúten.

A falta de marcadores para confirmar o diagnóstico da SGNC ainda torna sua aceitação dificultada por pesquisadores, pois a única maneira de fazer o seu diagnóstico é com a retirada e a reintrodução do glúten e o consequente reaparecimento de sintomas.

Em nossa prática clínica, observamos reduções importantes de peso após a adoção da dieta sem glúten e, recentemente, um estudo experimental revelou que o glúten estimula a produção de células gordurosas e a secreção de hormônios que aumentam o nível de gorduras do sangue. Ou seja, já existem evidências experimentais que dão suporte à hipótese de a dieta sem glúten ser uma alimentação anti-inflamatória capaz de reduzir todas as implicações causadas pelo glúten em nosso organismo. Faltam apenas estudos clínicos que possam complementar os achados experimentais e os encontrados em nossa prática clínica, mais especificamente em pacientes tratados pela Dra. Gisela Savioli.

Tudo posso, mas nem tudo me convém é um livro que resume exatamente o que a Dra. Gisela faz em sua prática clínica, ou seja, demonstra fidelidade científica através de capítulos calcados em referências bibliográficas confiáveis e, além disso, revela o outro lado dos grandes profissionais de saúde: a preocupação com o ser humano na sua totalidade: corpo, alma e espirito.

Muitos foram os testemunhos dos frutos deste livro, vários os beneficiários desta nova concepção de reeducação alimentar, desde reduções extraordinárias do peso até alívio total de sintomas cronicamente instalados. Posso dizer que sou testemunha ocular desses resultados, quando recebo de volta pacientes totalmente modificados e absolutamente felizes com seu novo paradigma alimentar.

Obrigado doutora por tudo o que você está fazendo pelo seu próximo, possibilitando que se mantenha saudável esse corpo humano, obra-prima da criação e templo do Espirito Santo.

ROQUE MARCOS SAVIOLI

Doutor em Cardiologia pela
Faculdade de Medicina da USP
Médico Supervisor da Divisão Clínica do
Instituto do Coração do HC-FMUSP

Tudo posso,
MAS NEM TUDO
me convém

REFERÊNCIAS BIBLIOGRÁFICAS

FASANO, A. Zonulin and Its Regulation of Intestinal Barrier Function: The Biological Door to Inflammation, Autoimmunity, and Cancer. *Physiol Rev* 91 (2011) 151–175.

MARCASON, W. Is there evidence to support the claim that a gluten free diet should be used for weight loss? *Journal of the American Dietetic Association* 2011, 1786.

SOARES, F. L. et alli. Gluten free diet reduces adiposity, inflammation and insulin resistence associated with the induction of PPAR-alpha and PPAR-gamma expression. *Journal of Nutritional Biochemistry* 24 (2013) 1105-1111.

TRONCONE, R. & JABRI, B. Coelic disease and gluten sensivity. *Journal Internal Medicine* 269 (2011) 582-590.

APRESENTAÇÃO

Talvez cause às pessoas certa estranheza encontrar em um livro de nutrição funcional a apresentação de um sacerdote católico. Afinal, por que um pastor de almas se interessaria por realidades tão obviamente materiais como a nutrição?

O fato é que depois que conheci, com a doutora Gisela Savioli, a nutrição funcional pude experimentar, em minha própria vida espiritual, uma verdade que até então conhecia apenas de forma aproximativa e teórica: a incrível influência que o corpo pode exercer sobre o espírito.

É verdade que eu sempre tinha dado muita atenção, em minhas direções espirituais, ao aspecto físico da vida espiritual. Sempre acreditei na necessidade de ajudar o espírito com uma disciplina do corpo, com a ascese. O que a nutrição funcional me ensinou, porém, foi uma lição de humildade. Nós gostaríamos de ser anjos, entidades espirituais superiores e etéreas. No entanto, mais do que gostaríamos de admitir, nós somos o que comemos. Ou, como me corrigiria imediatamente a doutora Gisela, nós somos aquilo que absorvemos.

Digo que a nutrição funcional foi uma lição de humildade, porque eu subestimava a importância que o cérebro, órgão de nossa alma, tem em nossa vida espiritual. É claro que eu sabia que havia uma influência. Entretanto, eu nunca havia experimentado essa influência *em mim*.

No fundo, eu sempre olhava para os meus dirigidos que necessitavam de ajuda psiquiátrica como uma categoria especial de pessoas para as quais, excepcionalmente, o cérebro representava um empecilho ao crescimento espiritual e exercia uma tirania especial à qual eles deviam se submeter como se fosse sua cruz específica.

A nutrição funcional me fez "tocar com a mão" a verdade de que meu cérebro e o resto de meu corpo influenciam no humor, na afetividade, nas tentações sexuais, na concentração durante a oração e em tantos outros pequenos aspectos.

Como foi que tudo aconteceu? Bem, eu já conhecia o casal Roque e Gisela Savioli havia algum tempo. Em algumas das vezes em que passei por São Paulo, tive a alegria de ser convidado por eles para jantar e, ao redor da mesa de excelentes restaurantes, fazer a experiência de que as iguarias servidas se deixavam eclipsar pela companhia e pelas conversas ainda mais "saborosas".

O fato, porém, é que, ao longo destes anos, a doutora Gisela só acenou muito discretamente para as verdades de sua nutrição funcional e, definitivamente, jamais quis transformar nossa amizade em proselitismo da reeducação alimentar.

Foi por intermédio do casal Ricardo e Eliana Sá, missionários na comunidade Canção Nova, que ouvi falar pela primeira vez dos benefícios reais da nutrição funcional. Só então procurei a amiga doutora Gisela para lhe pedir ajuda profissional.

Devo confessar que já acreditava, pelo testemunho do casal Sá (ver página 19), que a "dieta da Gisela" me ajudaria. Contudo, eu não imaginava, nem de perto, que isso realmente mudaria minha vida.

Hoje, passados quase dois anos de reeducação alimentar, tenho até dificuldade em fazer uma lista das coisas que mudaram em minha vida. Para começar, as mudanças na saúde física, sobre a qual, para não entediar o amigo leitor com uma longa lista de enfermidades e achaques, basta dizer que, antes da intervenção da doutora Gisela, o estojo de medicamentos que eu carregava em minha mala de viagens era maior que o de material de higiene.

Já as mudanças no mundo espiritual foram realmente as mais importantes. Foi aí que se deu a lição de humildade da qual eu falava. Eu não fazia ideia do número de problemas que meu intestino e meu cérebro causavam à minha vida espiritual.

É verdade que nesse campo não existe solução mágica para nada. O único caminho é a luta diária pela conversão. Assim, não gostaria de vender a ilusão de que a reeducação alimentar é uma espécie de atalho que evitaria ao cristão muita fadiga e muita perseverança. Nada poderia estar mais longe da realidade.

No entanto, se de luta se trata, por que aumentar as dificuldades? Poderia fazer uma comparação: antes da nutrição funcional, eu travava a luta espiritual envergando uma pesada armadura medieval; agora, com a reeducação alimentar, carrego um leve e resistente colete à prova de bala.

Ou seja, meu "corpo" tornou-se mais leve e ágil no combate. Mesmo assim, é necessário combater...

Sumiu de minha vida uma predisposição à insônia, ao mau humor matinal e à irritação. No campo da afetividade, noto maior estabilidade e grande resistência ao estresse do dia a dia. A castidade continua a ser uma luta, mas, graças a Deus, tornou-se uma luta menos encarniçada. Parece que o cérebro, principal órgão sexual do ser humano, começou finalmente a colaborar mais com a pureza de coração.

O fato é que nós, humanos, somos uma forma de o espírito conviver com a matéria. As duas realidades, corpo e alma, não estão somente unidas casual e acidentalmente. Desprezar essa verdade é virar as costas para a verdade na qual Deus nos criou.

Penso que a leitura deste novo livro da doutora Gisela Savioli será de grande ajuda para os que buscam se adequar a essa verdade do Criador. O leitor encontrará aqui uma introdução prática e teórica sobre os princípios da nutrição funcional. Quem se decidir por adotar essa nova "cultura" da alimentação notará em si mesmo algum progresso físico, afetivo e espiritual. O grau desses benefícios, como a própria doutora vai explicar, depende da individualidade de cada um, a qual, em minha opinião, não é apenas bioquímica, mas também espiritual.

Mens sana in corpore sano, diz o adágio latino. Os sábios antigos já sabiam aquilo que nós, pobres modernos, vamos descobrindo às apalpadelas: a saúde de nosso corpo influencia de forma decisiva nossa saúde espiritual.

PADRE PAULO RICARDO DE AZEVEDO JÚNIOR

APRESENTAÇÃO

Conhecemos a Dra. Gisela nos acampamentos na Canção Nova. Ela prestava um generoso serviço como tradutora de pregadores de língua francesa. Já era possível perceber a forma apaixonada como costumeiramente trata tudo o que faz.

Em um dos intervalos desses nossos eventos, ela se preocupou conosco, com nosso ritmo de vida, alimentação, atividade física, descanso e infinitas outras necessidades tão específicas que somente a Dra. Gisela tem a habilidade de falar sobre todas ao mesmo tempo, deixando clara a importância de cada uma. Era impossível não ouvir ou parar em uma real atitude de conversão para o dom maior que Deus nos deu: nós mesmos, nosso corpo, saúde, energia, o templo do Espírito Santo.

O que fizemos? Paramos. Com sua ajuda tão assertiva e personalizada e indicações que norteiam a Nutrição Funcional e se transbordam, de maneira simples, em orientações sobre, por exemplo, o leite e seus derivados, embutidos e enlatados, zero glúten e açúcar, sal, sucos e couves, fomos reeducados em nossa alimentação, de maneira inteligente, criativa e extremamente simples.

Os benefícios dessa nova forma de viver abraçaram não somente o modo como comemos, mas também nossa vida e até nossa espiritualidade e missão, porque nos tornamos mais prontos para a disciplina, fundamental para quem sabe que a vida cristã é um contínuo exercício de "pôr as coisas em ordem".

Portanto, pusemos em ordem a alimentação e fomos beneficiados até no bolso, pois — pasmem — nossos gastos com alimentos diminuíram, fator que nos esquecemos de contar, mas que é muito importante, porque pensamos que um guia de nutrição assim poderia comportar outros gastos, quando, na verdade, isso não acontece!

Suco verde, tapioca, batata-doce, frutas vermelhas, mandioca, água, cuscuz, manteiga, massas à base de arroz, carne branca, o tempo de sono, atividade física contínua e uma leitura que alimente também o modo de pensar nossa comida tornaram-se os ingredientes de um novo período de nossa história. Podemos testemunhar.

Por isso, somos imensamente agradecidos pela maneira generosa como Dra. Gisela desbrava sua missão! Sua determinação chegou até nós e poderá, sem dúvida, alcançar também a vida de quem recebe este guia de saúde e plenitude de vida.

RICARDO E ELIANA SÁ

TRANSIÇÃO NUTRICIONAL: DA DESNUTRIÇÃO À OBESIDADE

Tudo posso, mas nem tudo me convém! Sempre pensei nessa passagem bíblica (1Cor 6,12) como título de um livro, pois expressa exatamente o que penso e vivencio no consultório diariamente.

— Mas, doutora, não posso nem um pouquinho?

— Se fosse um veneno, literalmente falando, você colocaria esse pouquinho no seu prato ou no prato do seu filho?

Parece exagero de minha parte, mas existem pessoas para as quais certos alimentos são verdadeiros venenos, só que o pior é que quando elas comem, na hora, não acontece nada.

Os sinais e sintomas só vão aparecer de três a quatro dias depois (alguns artigos chegam a falar em até sete dias), e por isso não conseguem descobrir qual alimento é tão prejudicial para elas. Aliás, nem fazem ideia de que tudo aquilo que sentem tem origem em suas escolhas alimentares.

Sua história familiar (genética) tem um peso importante naquilo que você vai desenvolver como doença, mas são suas escolhas e decisões (epigenética) que vão traduzir para seu corpo saúde ou doença.

Eu não tenho dúvida de que seremos centenários, mas precisamos chegar lá com qualidade de vida, e isso é possível se temos o cuidado de cultivar saúde ao longo da vida.

Não são as grandes transformações, mas sim as pequenas atitudes de todos os dias (ao longo da vida) que fazem a diferença no futuro. Meus ouvintes do programa *Mais saúde* sabem que não acredito em regimes e sim em mudança de hábitos, e para isso são necessários dois anos de persistência para que você possa afirmar que adquiriu uma nova rotina.

Mas, como sabemos, mudar hábitos não é coisa fácil, pois mexer na alimentação é tocar de alguma forma no "sagrado" de uma pessoa, e por isso tomo muito cuidado.

Quantas vezes esta cena já se repetiu no meu consultório, quando digo a um alto executivo, que tem sob o seu comando centenas e até milhares de colaboradores, para que retire (pelo menos nesse primeiro momento) o leite de vaca do seu dia a dia:

— O meu leitinho, doutora! Eu só consigo dormir se tomar um copo de leite. Faço isso desde criança, quando minha mãe vinha com aquele copo duplo de leite até meu quarto para me dar um beijo de boa-noite!

Então aquele megaempresário, com seu terno italiano feito sob medida e gravata de seda Hermès, parece retornar à primeira infância, chegando a fazer um "biquinho" ao se referir ao seu "leitinho da noite".

O alimento nos remete a algo muito mais profundo, em que cheiros e sensações estão intimamente ligados a uma memória emocional que literalmente desintegra toda força de vontade racional.

Por isso, faço questão de explicar a cada paciente o motivo pelo qual certos alimentos são verdadeiros venenos, não somente para ele, mas para todos nós.

Infelizmente, vivemos numa sociedade em que os interesses financeiros falam mais alto que a saúde da população.

A mídia apresenta alguns alimentos como indispensáveis para nossa sobrevivência, e temos a impressão de que se não os consumirmos (pelo menos três porções ao dia!) teremos nossa saúde comprometida, quando na verdade o que acontece é exatamente o contrário.

O leite de vaca, ao qual dediquei um item inteiro deste livro, é o típico exemplo disso. Interesses pessoais tanto de latifundiários como de empresários (e políticos), além da mídia por eles paga, falam com tanta autoridade sobre o assunto que parecem desempenhar o mesmo papel dos cientistas e da ciência, confundindo o consumidor.

Temos que tomar cuidado com a avalanche de informações que nos são apresentadas pelos meios de comunicação. Não podemos acreditar em tudo só porque "apareceu na televisão", "estava naquela revista semanal" ou até (e principalmente) "na internet".

Cuidado, precisamos discernir e separar o joio do trigo (Mt 13,24-30). Não aceite tudo o que você ouve, vê ou lê como verdade absoluta. Pesquise, se informe, pergunte. Quer um exemplo? A tal da ração humana! Virou uma febre de consumo, e todo mundo acha que é o melhor alimento do mundo, certo? Mas, como você poderá verificar no decorrer do livro, há diversos ingredientes que podem ser problemáticos, dependendo da individualidade bioquímica da pessoa.

Nós, brasileiros, estamos perdendo nossos hábitos alimentares regionais, nossas raízes, em troca de alimentos que parecem comida, têm gosto de comida, mas não são comida!

Entre outras razões para isso, de acordo com pesquisadores e filósofos brasileiros, temos um "vazio" em relação à nossa origem que influencia nossa identidade, inclusive alimentar, a não ser que você seja descendente direto dos nativos desta nação. Já reparou como o brasileiro absorve itens de culturas como a europeia e principalmente a americana por considerá-las melhores que a nossa?

Veja o caso da linhaça. A marrom é brasileira. A dourada é importada do Canadá e muito mais cara. Qual das duas as pessoas acabam comprando, pensando que é muito melhor? A canadense, claro!

Quando me perguntam qual devem comprar, costumo responder a meus pacientes (e aos ouvintes do *Mais saúde*):

— Linhaça dourada é para canadense que vive lá no Canadá, onde faz frio. Vamos comer a nossa linhaça marrom, que além de muito mais barata é cultivada em solo e clima brasileiros.

Sempre que você pensar em comprar um alimento, pense em primeiro lugar: Está na época? É plantado perto de mim ou vai ter que ser colhido ainda verde, para ir amadurecendo enquanto é transportado? E quanto tempo vai levar para sair do local de cultivo e chegar à minha casa? Isso conta muito, pois quanto mais próximo o alimento está de você mais nutrientes ele tem.

Outro aspecto que interfere nos hábitos alimentares regionais é a globalização. No início da década de 1990 (isso tem apenas vinte anos), houve uma abertura de mercado com um importante crescimento nas importações de alimentos no Brasil.

Em apenas três anos (de 1992 a 1995) a importação de produtos alimentares industrializados cresceu 409%.

A facilidade de acesso a produtos que reduzam o tempo de preparo e diminuam a frequência das compras é uma das características dos nossos tempos. Só que para toda essa modernidade nossa saúde paga um preço.

Alimentos que têm que enfrentar importações e grandes períodos nas prateleiras dos supermercados (veja os prazos de validade: chegam a até dois anos em alguns casos) necessitam de uma quantidade enorme de conservantes, aditivos, corantes, realçadores de sabor etc.

Esses produtos, conhecidos como xenobióticos (isso está bem explicado mais adiante), são substâncias químicas que depois de entrar em nosso corpo devem ser eliminadas. Para que esta função seja executada com eficiência, nosso organismo precisa de vários nutrientes que faltarão no futuro para outras funções (uma delas é, inclusive, emagrecer).

A globalização é uma estratégia de internacionalização com o objetivo de criar um mercado mundial. É a cultura mundializada. Passamos a não ter raízes próprias, e vemos isso pelo menos três vezes ao dia em nossa alimentação: no café da manhã com o pãozinho *francês* ou o *croissant*, no almoço com o *hambúrguer* e no jantar com a *pizza*!

Retirar o seu território (a desterritorialidade) é uma característica indispensável para a formação de uma sociedade global, na qual os poderes econômico, político, social e cultural são internacionais.

A formação desse tipo de sociedade modifica profundamente, sem que percebamos, a forma como vivemos, trabalhamos, comemos, pensamos e agimos. Ela nos impõe novos valores, fazendo que nos transformemos naquilo que quer que sejamos.

Dessa forma, nos tornaremos cada vez mais consumidores de novos produtos que serão apresentados numa mídia que nos fará acreditar que são importantes (e até indispensáveis) para nossa saúde, nosso conforto e nosso bem-estar.

A alimentação é um pilar da identidade cultural de um povo e traduz sua estabilidade como grupo social. Nas últimas décadas ocorreu uma mudança na oferta de produtos alimentícios, e os pratos típicos foram substituídos por uma cozinha industrial e, claro, internacional. Houve um desenraizamento de nossa alimentação.

Hoje você encontra pratos típicos, sim, mas de outros países, alguns dos quais já citei (*pizza*, hambúrguer, *croissant*), que também perderam suas origens e se tornaram produtos globalizados. Alimentos antes sazonais (que respeitavam a natureza e a época do ano) hoje podem ser encontrados o ano todo. Ocorreu uma mudança de território do alimento que agora alcançou a escala mundial.

Parece estranho dizer, mas a comida (de verdade) está cada vez mais difícil de ser encontrada nos supermercados, que lotam suas prateleiras de pacotes, caixas e sacos plásticos com vários produtos comestíveis, cheios de aditivos, corantes e conservantes, sem falar nos brindes que podem ser encontrados e incentivam tanto nossas crianças a consumi-los.

Aqui temos outro grande problema: a falta de regulamentação das propagandas de alimentos destinados ao público infantojuvenil.

Uma pesquisa da Organização Mundial da Saúde (OMS) que analisou 72 países constatou que 62 deles tinham regulamentações sobre a propaganda de televisão voltada para crianças, pois as reconheciam como um grupo que necessita de atenção especial em razão de sua vulnerabilidade.

As propagandas não devem:

— explorar a credulidade das crianças;

— ser prejudiciais à saúde física, mental e moral;

— fazer que as crianças se sintam inferiores às outras que possuem o produto;

— induzir as crianças a pressionar indevidamente seus pais ou outras pessoas a comprar um produto.

Em vários países, as emissoras de televisão não podem apresentar propagandas para crianças no horário entre 7 e 23 horas, nem vincular figuras, bonecos ou personagens de desenhos animados às propagandas.

Em 29 de junho de 2010, a Agência Nacional de Vigilância Sanitária (Anvisa) publicou a Resolução de Diretoria Colegiada (RDC) nº 24/2010, que normatizou a oferta, a propaganda, a publicidade, a informação e outras práticas correlatas cujo objetivo seja a divulgação e a promoção comercial de alimentos considerados com quantidades elevadas de açúcar, de gordura saturada[1], de gordura trans[2], de sódio, e de bebidas com baixo teor nutricional.

---

1 Gorduras sólidas em temperatura ambiente, encontradas principalmente em alimentos de origem animal.

2 Gorduras obtidas por um processo que transforma os óleos (líquidos em temperatura ambiente) em gorduras sólidas. Estão presentes principalmente nos alimentos industrializados.

Imediatamente após a publicação dessa RDC, a *indústria de alimentos* iniciou uma grande campanha para revogá-la, alegando inconstitucionalidade.

Em julho, a Advocacia-Geral da União, que havia apoiado publicamente a Anvisa, divulgou em seu *site* na internet uma nota recomendando que a Anvisa *suspendesse* a RDC nº 24/2010.

Nessa ocasião, recebi um *e-mail* de colegas nutricionistas, o qual falava da importância da mobilização da sociedade civil para que não se tivesse um retrocesso: "É preciso garantir a manutenção do texto publicado pela Anvisa e buscar a regulamentação da publicidade deste grupo de alimentos e bebidas também para crianças".

As novas tecnologias, ligadas à globalização, nos possibilitam ter uma televisão, uma antena parabólica ou um computador em qualquer local remoto deste Brasil. Se isso de um lado é uma bênção, de outro faz que os valores passados por esses meios de comunicação sejam a nova referência de nossa população.

Nosso homem do campo está vendendo o produto da terra que ele planta e colhe para ir à cidade comprar alimentos industrializados.

No lugar da mandioca, ele consome um biscoito recheado cheio de gordura trans, que além de aumentar o mau colesterol (LDL) ainda faz baixar o bom colesterol (HDL). E hoje, sabe-se que para as, mulheres, pior que um LDL alto é um HDL baixo para o desenvolvimento de doenças cardiovasculares.

Não é à toa que nossos índices de obesidade estão alcançando os dos Estados Unidos, que estão entre os maiores do mundo. Foi chocante constatar que nossas crianças superaram as norte-americanas em sobrepeso e obesidade.

Não é de hoje que faço esse alerta: crianças com menos de 5 anos de idade têm expectativa de vida menor que a de seus pais. Isso é andar na contramão da evolução.

Um filho que perde o pai fica órfão. Uma mulher que perde o marido fica viúva. E um pai e uma mãe que perdem um filho? Para isso não há nome, pois é antinatural.

Não bastasse a recente publicação da OMS que comprova isso, nossas crianças estão apresentando doenças que antes só apareciam em pessoas mais velhas, como o diabetes, o colesterol alto e até a pressão alta.

A obesidade é a mãe-hospedeira de várias doenças que aumentam o risco de desenvolvimento das famosas doenças cardiovasculares, hoje as que mais matam no mundo.

As mulheres vivem preocupadas com o câncer ginecológico e o câncer de mama, mas o que mais mata são as doenças cardiovasculares. Uma em cada três pessoas morrerá em consequência delas.

A chamada transição nutricional, em consequência de tudo que já mencionei, trouxe essa inversão no comportamento habitual de nossa sociedade, fazendo que o Brasil passasse de um quadro de desnutrição para um de obesidade.

O aumento da participação da mulher no mercado de trabalho foi, sem dúvida, um ponto que considero particularmente importante, pois alterou o padrão de alimentação caseira e da família.

A indústria alimentícia rapidamente observou essa fatia de mercado e adaptou-se ao novo estilo de vida, disponibilizando uma enorme variedade de produtos de rápido preparo e consumo, como lanches, salgados, *pizzas* e lasanhas que podem ser preparados em menos de quinze minutos.

Além da indústria, o comércio também se adaptou a uma sociedade com excesso de trabalho e estresse.

Nas grandes cidades, o tempo cada vez mais reduzido para fazer refeições favoreceu a procura por alimentos rápidos como os *fast-food*, encontrados em abundância nas lanchonetes ou solicitados por telefone (os tão conhecidos *deliveries*), que hoje fazem parte da realidade de qualquer classe social.

Não foi por acaso que na última pesquisa publicada pelo Instituto Brasileiro de Geografia e Estatística (IBGE) sobre o consumo alimentar no Brasil durante o período de 1974 até 2003 observou-se que reduzimos o consumo de ovos em 84%, o de peixes em 50%, o de feijão em 41% e o de arroz em 23%.

Essa pesquisa mostrou também que o consumo de legumes, verduras e frutas tinha caído 67,5%. Dos 400 gramas recomendados por dia estamos comendo apenas 130 gramas de alimentos que são justamente fontes de vitaminas e minerais. Sabe quanto é isso? Equivale a comer apenas uma maçã!

Mas, se não estamos mais comendo esse tipo de alimentos, o que estamos colocando no lugar?

Pasme agora com o que você vai ler. Aumentamos o consumo de refrigerantes em 400%, o de biscoitos em 400%, o de embutidos (presunto, salame, salsicha, mortadela etc.) em 300%, o de queijos em 100% e o de alimentos prontos em 82%!

Com esses dados podemos entender o motivo pelo qual a obesidade aumentou tanto em nosso país, principalmente entre as crianças, que já começam na primeira infância (para não dizer no ambiente intrauterino) a ter contato com esses produtos.

Quem já não viu bebês tomando refrigerante em mamadeiras? Ou com um pacote de salgadinhos nas mãos?

Pesquisadores da divisão de fisiologia do departamento de medicina da Universidade de Friburgo, na Suíça, publicaram um trabalho em 2008 que achei muito interessante.

Com o artigo intitulado "Sugary Drinks in the Pathogenesis of Obesity and Cardiovascular Diseases" (Bebidas açucaradas na patogênese da obesidade e de doenças cardiovasculares), eles sugerem que o aumento no consumo de alimentos ricos em sódio (os famosos salgadinhos) provoca sede e, de forma compensatória, estimula o aumento do consumo de bebidas açucaradas, como refrigerantes, aumentando assim a suscetibilidade ao desenvolvimento da obesidade e das doenças cardiovasculares.

Minha proposta é uma mudança de hábitos e o resgate de uma alimentação saudável, o mais próximo possível de como a natureza nos entrega. Isso se traduz em ter que fazer compras, ir à feira ou ao supermercado e cozinhar. E aí começa a ladainha:

— Mas, doutora, eu não tenho tempo para isso...

Impressionante como as pessoas querem uma fórmula mágica para tudo e principalmente para emagrecer. Querem resultados imediatos, mas não querem fazer o menor esforço para alcançá-los. E, pior, levam anos, às vezes décadas engordando e querem logo no primeiro mês um resultado extraordinário.

Eu costumo dizer que essa nova proposta de vida é igual ao caminho de santidade: todos os dias damos um pequeno passo e no fim da vida teremos nossa recompensa. A porta é estreita, sim!

Quando ajudo meus pacientes a organizar suas casas (é, eu faço isso também), vejo quanto tempo é gasto com bobagens por pura falta de planejamento.

Já reparou que temos agenda para tudo: trabalho, dentista, médico, manicure... mas quando se trata de nossa alimentação do dia a dia fica tudo para a última hora. Precisamos de organização também para emagrecer.

Estudos mostram que 65% das decisões de compra de alimentos são tomadas dentro dos supermercados e que 50% não são planejadas.

Meu objetivo ao escrever este livro foi, em primeiro lugar, fazer que você tome consciência sobre os motivos pelos quais a obesidade invadiu também o nosso país; em segundo lugar, trazer o que há de mais recente sobre esse tema no campo científico, pois quem já tentou emagrecer sabe que não é só com restrição alimentar e atividade física que se consegue; além disso, pretendo mostrar, com exemplos de minha prática clínica e por meio de alguns testemunhos, que é possível mudar e resgatar não apenas seu peso, mas principalmente sua saúde e sua qualidade de vida.

POR QUE É TÃO DIFÍCIL EMAGRECER?

Cena típica no consultório é a chegada de paciente reclamando que não entende por que engordou.

— Doutora, acredite em mim, eu não como tanto assim para estar deste tamanho.

— Há anos que eu como as mesmas coisas, a mesma quantidade, não entendo por que engordei.

— E ultimamente nem tenho me pesado mais, com medo de ver a balança já ter alcançado os três dígitos!

Só que um dos problemas está justamente aí. Comer a mesma coisa sempre é a famosa monotonia alimentar, e comer a mesma quantidade que se comia quando jovem traz outro problema.

Até os 30 anos, se você come exatamente o que gasta, tudo bem. A balança se mantém estável. Porém, a partir dessa idade o metabolismo começa a diminuir em torno de 2% por década.

Então, você tem de decidir: ou diminui a comida ou aumenta a atividade física, e ponto final! O conhecimento científico atual que a nutrição funcional incorpora vai muito além da contagem de calorias, como veremos mais adiante. Existem outros fatores importantes que a ciência nos mostra hoje e comprovam o motivo pelo qual depois que adquirimos massa gorda (tecido gorduroso) é tão difícil eliminá-la de nosso corpo.

Em seguida o paciente dispara, relatando uma verdadeira via-sacra, contando todas as loucuras que já fez tentando emagrecer.

— Doutora, já fiz todas as dietas da moda, já tomei todos os remédios lícitos e ilícitos.

— Teve uma época em que fiquei sem comer o dia inteiro e só fazia uma refeição por dia, que era o jantar.

— Já fiz lipoaspiração, aplicação de enzimas, todas as técnicas de massagem.

— No começo, eu sempre emagrecia, umas vezes mais, outras menos. Mas era só parar de tomar a tal sopa ou o tal *shake* que voltava a engordar. E o que é pior, doutora, é que sempre engordava mais do que o peso inicial da dieta.

Por fim, não é raro o paciente terminar com a seguinte frase:

— Doutora, a senhora é a minha última esperança. Eu juro que se eu não conseguir emagrecer aqui eu desisto!

Eu me arrepio quando escuto isso, pois estou diante de um metabolismo que já foi "massacrado" de todas as formas e muitas vezes vai precisar de meses para se recuperar nutricionalmente, para então começar a emagrecer. E fazer o paciente entender isso não é tarefa fácil.

Por isso, dedico um tempo especial a dois momentos de meu atendimento: ao primeiro contato, no dia da consulta, e a nosso segundo encontro, que chamo de retorno, uma semana depois. São dois momentos muito longos mas fundamentais para o resultado de nosso trabalho. É preciso explicar ao paciente todo o processo.

Em primeiro lugar tirar o peso da "culpa" que ele carrega, pois até hoje as pessoas obesas são vistas com preconceito, e muitos acham que elas estão assim porque comem demais — e não é apenas disso que se trata.

Claro que se uma pessoa come exageradamente ela engorda, mas já reparou que há pessoas que de fato não comem tanto, mas parece que engordam com aquela folha de alface?

Pois bem, quem me acompanha sabe quanto eu falo da importância de ter um intestino saudável (aliás, teremos um capítulo inteiro a respeito deste assunto).

Hoje sabemos que pessoas obesas têm uma microbiota intestinal inadequada (desequilíbrio das bactérias que temos no intestino). Foram publicados artigos confirmando esse desequilíbrio, que tem como consequência uma maior capacidade de obtenção de energia a partir dos alimentos.

No primeiro encontro o paciente preenche um questionário de sinais e sintomas. Nessa avaliação ele se atribui notas sobre como está se sentindo no dia da consulta.

As notas vão de 0 a 4, seguindo o seguinte critério: nota 0 se se trata de um sintoma que ele nunca sentiu; nota 1 se de um sintoma que ele já teve, mas não tem mais. As notas 2, 3 e 4 são para sinais e sintomas que ele apresenta: nota 2 se de intensidade fraca, nota 3 para intensidade média e nota 4 quando são intensos. Peço que atribua a nota 4 também para os sintomas que ocorrem apenas uma vez por ano, mas quando aparecem são intensos ou muito dolorosos.

Esse questionário é uma ferramenta importantíssima para mim, pois, com a prática clínica, só de "bater o olho" já consigo identificar várias deficiências nutricionais.

De posse do questionário e depois que o paciente me conta o motivo pelo qual me procurou, dou início à minha anamnese (do grego *ana*, trazer de novo, e *mnesis*, memória).

A anamnese é uma entrevista realizada pelo profissional da área da saúde com o paciente, e sabe-se hoje que uma anamnese nutricional bem conduzida é responsável por 85% do diagnóstico nutricional, deixando 10% para o exame clínico (físico) e apenas 5% para os exames laboratoriais ou complementares.

Começo repassando as notas que foram dadas no questionário, e não é raro o paciente atribuir uma nota 0 (ou seja, não sente um determinado sintoma) e depois perceber que não é "normal", por exemplo, ter dor de cabeça todos os dias.

Em seguida, começa o que muitas vezes eles chamam de verdadeiro interrogatório.

Pergunto sobre seus antecedentes pessoais, sua história clínica, que doenças teve, que cirurgias fez. Depois passo para os antecedentes familiares, para verificar quais os riscos de o meu paciente poder vir a desenvolver por antecedentes genéticos alguma doença.

A seguir, vem o levantamento da história do uso de medicamentos. Aqui preciso prestar sempre muita atenção, pois a automedicação é muito comum e as pessoas esquecem o que já tomaram. Procuro saber quais são os medicamentos de uso contínuo e os de uso mais frequente, além de verificar as possíveis interações nutricionais, pois vários remédios interagem com nutrientes, prejudicando sua absorção. Muitas vezes, sintomas que o paciente apresenta já estão relacionados com o uso frequente de certos fármacos.

O ambiente em que esse paciente vive também é muito importante. Saber se tem contato com poluentes ou contaminantes ambientais, se sofre muita pressão emocional no trabalho ou em casa, se tem hábitos como fumar e beber etc.

As perguntas sobre o trato gastrintestinal vão desde a mastigação até a função intestinal, passando pela digestão e por sintomas de parasitoses ou infestação por fungos.

Depois da anamnese, verifico sinais físicos que comprovem as suspeitas já observadas nas respostas.

Por fim, o paciente leva uma "lição de casa" que deverá trazer uma semana depois, em seu retorno: um "Recordatório alimentar" (Anexo 1), que deverá ser preenchido diariamente, durante sete dias seguidos.

Com esse modelo, você também pode fazer esta experiência. Marque apenas o que comeu: café, leite, pão, manteiga, adoçante ou açúcar, geleia, requeijão etc. Não precisa colocar as quantidades. Como já disse, o conhecimento científico atual que a nutrição funcional incorpora vai muito além da contagem de calorias.

É comum o paciente dizer que, a partir do momento em que começou a anotar o que comia, passou a ter mais consciência de suas escolhas.

Peço também ao paciente que preencha esse "Recordatório" pelo menos no que se refere ao desjejum (café da manhã), ao almoço e ao jantar, pois preciso saber como estava se sentindo, emocionalmente falando, no momento dessas refeições.

Dependendo do caso, é claro, peço que adquira um pedômetro[1] e anote no "Diário de passos" (Anexo 2) quantos passos são dados todos os dias. Se você quiser fazer essa experiência, adquira um pedômetro e preencha o "Diário de passos".

Para evitar que o paciente modifique nesta semana sua rotina alimentar, evito pesá-lo, deixando isso e o exame de bioimpedância[2], que verifica quanto de gordura corporal ele tem, para o retorno, uma semana depois.

Nesse segundo encontro, geralmente mais longo que o primeiro, fazemos a avaliação antropométrica (peso, altura, exame de bioimpedância, algumas medidas de circunferência etc.).

De posse do "Recordatório" verifico seu hábito alimentar, se há presença de alimentos industrializados, adoçantes artificiais, corantes etc. Vejo também se pela qualidade de sua alimentação há carências nutricionais ou excessos, para correlacioná-los com os sinais e sintomas avaliados no dia da consulta.

De acordo com seu hábito alimentar, com a monotonia e o cardápio repetitivo, com suas preferências, também é possível deduzir as alergias alimentares, imediatas ou tardias.

Caso o paciente tenha exames laboratoriais recentes, peço que traga no dia do retorno e se necessário solicito algum exame complementar.

---

1 Pedômetro é um contador de passos. Um aparelho simples e prático que é facilmente colocado na cintura para medir quantos passos acumulamos em nosso dia a dia.

2 Bioimpedância é um aparelho que verifica a quantidade de massa magra (músculo), massa gorda (gordura) e água no corpo.

É nesse retorno que explico qual será a conduta, qual caminho seguiremos juntos para que se recupere nutricionalmente falando, para que assim resgate sua saúde e emagreça com qualidade de vida.

Vou contar a vocês a história de um paciente que acredito representar o perfil típico do homem brasileiro atual na faixa dos 50 anos, que precisa emagrecer e trabalha numa empresa onde passa a maior parte do dia sentado.

O senhor José Maria, de 52 anos, me procurou por indicação do doutor Geraldo Lorenzi Filho, diretor do Laboratório do Sono do Serviço de Pneumologia do Instituto do Coração do Hospital das Clínicas (Incor–HCFMUSP), pois precisava emagrecer, e urgente!

Ele vinha apresentando apneia obstrutiva do sono, um problema que causa uma interrupção do sono e atinge 30% da população. Em consequência disso, a pessoa não consegue dormir uma noite inteira e fica sem o famoso sono restaurador.

Daí vêm a sonolência durante o dia e, com isso, a perda de qualidade de vida: há perda de produtividade no trabalho, dificuldade de concentração, irritabilidade, queda na libido, problemas relacionados ao metabolismo e resistência à insulina, que é o hormônio responsável pelo metabolismo da glicose.

Apesar de não ser de nossa competência, como nutricionistas, fazer diagnóstico, você pode fazer o teste que apresento a seguir, chamado "Escala de sonolência de Epworth", que também peço ao meu paciente que preencha.

O resultado pode ir de 0 a 24. A partir de dez ou mais pontos, deve haver uma investigação.

Tudo posso,
MAS NEM TUDO
me convém

Escala de sonolência de Epworth

Qual é a possibilidade de você cochilar ou adormecer nas seguintes situações?

Situações	Nota*
1. Sentado e lendo	
2. Vendo televisão	
3. Sentado em lugar público sem atividades, como salas de espera, cinema, teatro, igreja	
4. Como passageiro de carro, trem ou metrô andando por uma hora sem parar	
5. Deitado para descansar à tarde	
6. Sentado e conversando com alguém	
7. Sentado após uma refeição sem álcool	
8. No carro parado por alguns minutos no trânsito	
Total	

* Dê uma nota de **0 a 3**, sendo: **0** – nenhuma chance de cochilar;
  1 – pequena chance de cochilar;
  2 – moderada chance de cochilar;
  3 – alta chance de cochilar.

Resultado entre **dez ou mais pontos** indica sonolência excessiva que deve ser investigada.

Fonte: Johns, M. W. A new method for measuring daytime sleepiness: the Epworth sleepiness scale. *Sleep*, v. 14, n. 6 (1991) 540-545. Traduzida por Dr. Luiz Fernando F. Pereira, em junho de 1997. Disponível em: <www.sbpt.org.br/downloads/arquivos/Escala_Sonolencia_Epworth.pdf>. Acesso em: 16 nov. 2010.

A apneia do sono tem três graus: leve, moderada e grave. Nos casos de moderada a grave, como no caso desse paciente, é usado um aparelho durante o sono chamado CPAP (pressão positiva contínua de ar). Ligado a uma tomada, este aparelho funciona com a utilização de uma máscara colocada na região do nariz em que uma pressão de ar positiva mantém as vias aéreas desobstruídas.

Quanto maior o grau de apneia, maior a pressão que o aparelho produz. Por isso, é importante que, além de usar esse equipamento, o paciente emagreça.

Como se já não bastasse tudo isso, outro problema causado por esse distúrbio do sono é o ronco, que pode muitas vezes levar à separação do casal.

Quando recebo pacientes do sexo masculino, peço sempre que tragam as esposas no retorno, pois são elas as grandes promotoras de saúde (ou doença) no lar. Assim, acabo estimulando mudança de hábitos também na família (quando queremos a conversão de alguém, desejamos que a família toda se converta também, não é assim?).

É claro que com o clima agradável que se cria durante a consulta (as mulheres sempre mais extrovertidas que os homens) elas acabam desabafando:

— Doutora, minha vida virou um inferno desde que o Zé Maria engordou e começou a roncar, e cada dia mais forte. Eu tinha que ir dormir primeiro, pois se ele deitasse e começasse a roncar eu não conseguia mais pegar no sono.

E a esposa ainda acrescentou que tudo havia piorado com a chegada da menopausa, pois então, por causa dos fogachos[3], acabava acordando no meio da noite e não conseguia mais dormir.

— Tive que pedir para o Zé Maria mudar para o quarto do nosso filho que se casou.

Imaginem a situação deste casal. Se com a apneia do sono a libido cai (o desejo sexual diminui), dormindo em quartos separados, tudo fica pior.

Sempre recomendo aos casais que, mesmo que não tenham mais uma vida sexual tão ativa, não percam o costu-

---

3 Fogachos são ondas de calor. Um sintoma da variação hormonal característica da menopausa.

me de se abraçar, ficar de mãos dadas (ou com os pés encostados debaixo do lençol). O toque é muito importante.

Muitas vezes, durante o dia isso fica difícil em razão da rotina de cada um, e há ainda aqueles casais mais velhos que nunca tiveram o hábito de demonstrar carinho em público. Por isso, é importante que o casal continue a dormir na mesma cama.

Quando estamos sendo formados, no ventre de nossa mãe, o folheto embrionário (Figura 1), o ectoderma, do qual se origina a pele, é o mesmo que forma o tecido cerebral.

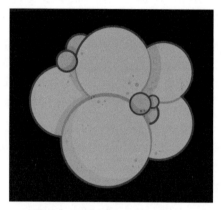

Figura 1. Folheto embrionário

Tocar na pele de uma pessoa é tocar em seu cérebro! Quem não gosta de um carinho?

O toque aproxima as pessoas, pois faz nosso cérebro produzir uma substância chamada ocitocina, antagônica ao cortisol, o hormônio que produzimos quando estamos sob estresse.

No dia da consulta, quando terminamos de passar por todo aquele questionário de sinais e sintomas, o senhor José

Maria observou que além da apneia do sono a saúde dele não estava das melhores.

Tinha dores de cabeça todos os dias e precisava tomar remédio senão ela não passava. Era extremamente ansioso, seu fôlego estava péssimo (mal conseguia subir alguns degraus de escada), seu nariz vivia entupido por causa de uma rinite alérgica que o perseguia desde a adolescência. Seu intestino funcionava normalmente, mas era só comer alguma "coisinha diferente" que a barriga estufava e o gases se tornavam insuportáveis.

Por causa do peso a barriga cresceu e todo dia era uma briga para vestir as meias.

— Até troquei o modelo do sapato, doutora, para facilitar. Cadarço, nem pensar!

Seus hábitos eram péssimos. Quando perguntei sobre sua mastigação ele respondeu:

— Eu não mastigo, doutora, eu literalmente engulo a comida. Estou sempre com pressa, querendo, ou melhor, precisando voltar ao trabalho.

Uma semana depois, ao me trazer o "Recordatório alimentar" preenchido e o "Diário de passos" (ficha do pedômetro), confirmei minhas suspeitas: o senhor José Maria era sedentário, assim como a maioria dos pacientes que me procuram.

Seus passos não chegavam à marca de 5 mil por dia e nos fins de semana baixavam ainda mais. Nos fins de semana é quando menos andamos, e se ficamos em casa é quando mais comemos.

Os especialistas dessa área recomendam que os indivíduos adultos deveriam dar 10 mil passos por dia, meta associada a ganhos de saúde. Para aqueles que desejam reduzir seu peso corporal a meta é de 13 mil passos. Tínhamos um longo caminho pela frente.

Conversando com ele, descobri que, ao chegar à empresa, se sentava diante do computador e praticamente só se levantava na hora do almoço ou quando estava muito apertado para ir ao banheiro.

E mais: quando precisava falar com algum colega, nem se dava ao trabalho de levantar. Passava uma mensagem pelo *skype* do computador.

Não levantava para nada, nem para tomar um café, pois, como ocupava um alto cargo administrativo junto ao dono da empresa, tinha a "mordomia" da copeira levando-lhe cafezinho (adoçado com açúcar, é claro) o dia inteiro.

No congresso de 2010 da Sociedade de Cardiologia do Estado de São Paulo (Socesp), anotei alguns dados interessantes. Num levantamento que envolveu 5 mil executivos de 198 empresas, constatou-se que 50% não faziam atividade física.

Homens que ocupavam cargos de chefia, como gerentes, diretores e presidentes, tinham uma carga de dez a catorze horas de trabalho por dia.

A alimentação dessas pessoas era altamente proteica e tinha como fonte principal a carne vermelha (alta fonte de gordura saturada, que hoje sabemos ser pró-inflamatória).

Foi apresentado também um trabalho em que se pesquisaram homens que haviam tido algum evento cardiovascular, e constatou-se que o aumento da circunferência da cintura estava associado a três comportamentos alimentares inadequados: não tomar café da manhã, fazer do jantar a principal refeição e exageros nos fins de semana.

E foi exatamente isso que pude constatar no "Recordatório alimentar" do senhor José Maria: ele não gostava de tomar café da manhã, ficava longos períodos sem comer e praticamente só jantava, pois era a refeição que fazia em casa com a família.

No trabalho, o estresse era constante, pois a empresa em que trabalhava era uma prestadora de serviços e ele ficava em contato direto com os clientes. Além disso, tinha também um chefe estressado.

Lembro-me bem de quando o senhor José Maria entrou em meu consultório segurando dois celulares. Um celular era pessoal, mas que também usava para assuntos profissionais, e o outro da empresa.

Somando-se a tudo isso, o senhor José Maria nascera de cesariana, fora amamentado apenas por três meses, pois sua mãe sofreu um acidente na época e sua avó passou a lhe dar leite de vaca comum, e logo depois começou com a introdução de alimentos.

Ele relatou que, quando criança, tinha muitas dores de ouvido, que o obrigaram desde cedo a tomar antibióticos.

Você deve estar se perguntando o que tudo isso tem a ver com obesidade, certo? No decorrer do livro, você vai entender.

Fato é que esse paciente chegou pesando 77 kg, mas com apenas 1,60 m de altura e uma circunferência abdominal de 104,3 cm. Seu índice de massa corpórea (IMC) era de 30,07 kg/m², ou seja, já apresentava uma obesidade grau I.

O IMC é a principal ferramenta utilizada para diagnóstico de obesidade no Brasil. Graças a ele, é possível saber se você está no peso ideal, abaixo ou acima dele, ou, o que é pior, se já apresenta uma obesidade que pode ser classificada de grau 1, grau 2 e até grau 3.

Vamos aproveitar e verificar como está o seu peso?

Para calcular, basta seguir a fórmula abaixo:

$$IMC = \frac{Peso\ (kg)}{Altura\ (m)^2}$$

Veja como eu fiz para calcular o IMC do senhor José Maria: ele tinha 1,60 m e pesava 77 kg. Devemos multiplicar a altura por ela mesma, isto é, 1,60 × 1,60 = 2,56. Guarde este número. Agora é anotar o peso, nesse caso 77 kg, e dividir por 2,56. O resultado será 30,078125. Guardando somente os dois números após a vírgula (respeitando as leis da matemática), teremos 30,08. Este é o resultado do IMC.

E então, como está seu peso para sua altura? Anote no quadro abaixo:

Data			
Peso (kg)			
Altura (m)			
IMC (kg/m²)			
Classificação			

POR QUE É TÃO
DIFÍCIL EMAGRECER?

Veja a classificação nas seguintes tabelas, dependendo de sua idade.

Para adultos (indivíduos com 20 anos ou mais e menores de 60 anos), vale a tabela abaixo:

Tabela 1. Classificação para indivíduos com 20 anos ou mais e menores de 60 anos

IMC	Diagnóstico nutricional
< 16,00	Desnutrição grau 3 (grave)
16,00 a 16,99	Desnutrição grau 2 (moderada)
17,00 a 18,49	Desnutrição grau 1 (leve)
18,50 a 24,99	Peso adequado (eutrofia)
25,00 a 29,99	Pré-obesidade
30,00 a 34,99	Obesidade grau 1
35,00 a 39,99	Obesidade grau 2
> 40,00	Obesidade grau 3

Fontes: ORGANIZAÇÃO MUNDIAL DA SAÚDE (OMS). Physical status: the use and interpretation of anthropometry. (Technical Report Series, 854). Genebra, OMS, 1995.
WORLD HEALTH ORGANIZATION (WHO). Obesity: preventing and managing the global epidemic — report of a WHO consultation on obesity. Geneva, WHO, 1997.

Para idosos (indivíduos com idade igual ou superior a 60 anos), vale a tabela abaixo:

Tabela 2. Classificação para indivíduos com idade igual ou superior a 60 anos

IMC	Diagnóstico nutricional
< 22,00	Magreza
22,00 a 27,00	Peso adequado (eutrofia)
> 27,00	Excesso de peso

Fonte: LIPSCHITZ, D. A. Screening for nutritional status in the elderly. *Primary Care*, v. 21, n. 1 (1994) 55-67.

Nessas tabelas não estão incluídos adolescentes nem gestantes, pois essas duas populações necessitam de um gráfico especial.

Logo que comecei a explicar para o senhor José Maria que deveríamos retirar uma lista de alimentos por três semanas, ele me perguntou:

— Tenho que fazer tudo direitinho? Não posso dar nenhuma escapadinha? E, se eu fizer tudo certinho durante a semana, no fim de semana posso tomar minha cervejinha?

— Não, senhor José Maria, tem que seguir certinho, pois vamos fazer uma verdadeira "faxina" no seu organismo e não dá para ficar entrando com os pés sujos numa sala que estamos limpando, certo?

Além disso, temos sempre uma "desculpa" para não comer direito. Quando o paciente me faz esse tipo de pergunta, sobre fazer tudo certinho durante a semana mas dar uma liberada no fim de semana, eu pego a calculadora e peço que ele faça a seguinte conta (como fiz com o senhor José Maria):

— Quantos dias tem o ano, senhor José Maria?

— Bem, 365 dias.

— Quantos sábados e domingos há num ano?

— Bem, são 54 sábados, mais 54 domingos, então somam 108 dias.

— Agora pegue os 365 dias e subtraia os fins de semana.

— Bem, 365 menos 108, então 257 dias.

— O senhor costuma tirar trinta dias de férias?

— Sim.

— Então diminua dos 257 dias as suas férias.

— Hum, estou entendendo aonde a senhora quer chegar. Bom, 257 dias menos os trinta de férias são 227 dias.

— Certo, aí temos fim de ano, jantares de confraternizações, Natal, Ano Novo... Acho que aqui podemos considerar uns dez a quinze dias de alimentação inadequada, certo?

— Com certeza, doutora; então dos 227 dias retiro mais quinze dias, e sobram 212 dias.

— Depois disso há ainda Carnaval, Páscoa e um monte de feriados. Creio que também podemos considerar uns quinze dias, certo?

— Certo, doutora. Então 212 menos quinze nos dão 197 dias.

— Bom, temos ainda aniversário da esposa, dos filhos, do pai, da mãe, dos netos, Dia dos Pais, Dia das Mães etc.

— Meu Deus, é verdade!

— Então, senhor José Maria, pegue agora os 197 dias que sobraram e tire pelo menos uns vinte dias dos eventos acima. Quantos dias vão sobrar?

— Bem, 197 menos vinte são 177 dias.

— Se dividimos os 365 dias do ano por dois, temos em torno de 182 dias. Portanto, senhor José Maria, em cerca de metade do ano temos desculpas para não comer direito!

Esse negócio de dizer que é só no fim de semana não dá certo. E minha proposta é justamente ensinar novos hábitos para que o paciente, mesmo diante de preparações inadequadas, saiba fazer escolhas saudáveis.

Com apenas três semanas de retirada de alimentos pró-inflamatórios, reintrodução de alimentos "de verdade", adequada suplementação (sobre isso falaremos mais adiante) e meta de 8.500 a 10 mil passos/dia, veja a redução:

Data	21.04.2010	11.05.2010	Diferença
Peso (kg)	77,0	71,9	– 5,1
Gordura (kg)	21,2	19,3	– 1,9
Músculos (kg)	55,8	52,6	– 3,2
Circunferência abdominal (cm)	104,3	94,8	– 9,5

Data	21.04.2010	11.05.2010
IMC (kg/m²)	30,08	28,09
Classificação	Obesidade grau 1	Sobrepeso

Fazendo a próxima consulta três semanas depois do retorno, o paciente não fica com aquela sensação de que vai ter que fazer restrição alimentar por um mês, apesar de minha proposta ser levá-lo a tomar consciência do que lhe faz mal e substituir por aquilo que faz bem.

O resultado foi excelente, ele estava radiante, e o doutor Geraldo mais ainda, pois já podia diminuir a pressão do CPAP! A redução de quase dez centímetros de circunferência abdominal alegrou a todos, pois é um fator importante como risco para doenças cardiovasculares.

Mas em minha opinião a perda de massa muscular foi muito maior do que eu esperava. Então perguntei:

— Senhor José Maria, o senhor conseguiu fazer aqueles lanchinhos no meio da manhã e no meio da tarde conforme eu tinha orientado?

— Ah, doutora, isso foi a única coisa que não consegui fazer. Mas pelo visto não atrapalhou meu emagrecimento.

— Errado, senhor José Maria, fez uma grande diferença, sim. Isso fez o senhor perder massa magra, músculos. E são os músculos que aumentam nosso metabolismo.

Toda vez que você fica mais de três horas sem se alimentar, seu organismo entra em estresse. Nosso cérebro necessita de uma quantidade constante de glicose para funcionar bem, e quando ela diminui na corrente sanguínea o corpo dá um jeito de arranjar glicose mesmo sem você se alimentar. Como? Produzindo um famoso hormônio chamado cortisol.

O cortisol é produzido pelas glândulas suprarrenais (ficam em cima dos rins) quando o corpo entra em estresse. Isso causa a quebra do tecido muscular, levando a uma liberação de aminoácidos (as pequenas partes que compõem a proteína), que ao cair na corrente sanguínea são levados até o fígado.

Nesse grande laboratório chamado fígado, certos aminoácidos serão transformados em glicose, que será lançada na corrente sanguínea, ficando disponível para nosso cérebro usar como combustível.

— Entendeu agora, senhor José Maria, por que o senhor não pode ficar longos períodos sem se alimentar? E a melhor maneira de manter a glicemia nesses intervalos é comendo uma fruta.

— Mas a senhora viu como eu melhorei meu "Diário de passos"? Fiz exatamente como a senhora me orientou:

1. Em vez de estacionar o carro o mais próximo possível do portão de entrada, estou parando a dois quarteirões de distância.

2. Quando preciso falar com algum colega, levanto e vou até a mesa dele.

3. Na hora do almoço, nada de pegar o carro, vamos a pé.

4. Proibi a copeira de trazer cafezinho com açúcar o dia inteiro e disse para substituí-lo por uma xícara de cafezinho, mas com o chá verde (amargo, né?) que a senhora pediu para tomar.

5. Quando preciso atender o telefone da minha mesa, que é fixo, levanto da cadeira e fico falando em pé, e quando é o celular fico andando.

6. Como subir escada é difícil e eu vivo com pressa, estou descendo, já que a senhora falou que cada três degraus que a gente desce equivalem a um que a gente sobe.

7. Em casa, depois do jantar, em vez de ficar jogado no sofá assistindo à novela, pego o cachorro e vou andar. Até ele emagreceu.

Sim, o senhor José Maria colocou em prática várias de minhas sugestões, e com isso conseguiu fazer a diferença e saiu do consultório dizendo que a meta daquele mês seria tomar os lanchinhos (as frutas) e melhorar ainda mais os passos. Queria chegar aos 13 mil.

Quando ele veio a primeira vez ao consultório, expliquei que na realidade são pequenas atitudes todos os dias, ao longo do ano, que fazem a diferença, e fiz uma brincadeira com ele:

— Se o senhor parar o seu carro a dois quarteirões de distância de onde costuma estacionar, na verdade o senhor não vai andar dois quarteirões a mais por dia. Serão quatro, pois temos que considerar a ida e a volta. Além disso, serão cinco dias por semana, que somarão vinte quarteirões, que multiplicados por quatro semanas, o que equivale a um mês, somarão oitenta quarteirões. Em um ano o senhor terá andado 960 quarteirões. Depois, quando chegar o Natal, observe aquele seu conhecido que não andou nenhum quarteirão. Pode ser que em um ano o senhor não note a diferença. Mas vamos projetar para daqui a dez anos! O senhor terá andado 9.600 quarteirões e ele nenhum. Daqui a vinte anos serão 19.200 quarteirões, daqui a trinta anos... Bem, daqui a trinta anos provavelmente seu conhecido já terá ido morar com Jesus, e o senhor estará ainda por aqui, firme e forte!

Incrível como os homens são muito mais disciplinados que as mulheres. Só vejo três tipos de mulheres empenhadas: grandes executivas que sabem trabalhar com metas, atletas ou pessoas muito doentes.

Quando veio para sua terceira consulta, vi que o senhor José Maria tinha conseguido alcançar as metas por ele mesmo propostas. Veja os resultados:

Data	21.04.2010	11.05.2010	10.06.2010	Diferença
Peso (kg)	77,0	71,9	67,2	– 9,8
Gordura (kg)	21,2	19,3	14,7	– 6,5
Músculos (kg)	55,8	52,6	52,5	– 3,3
Circunferência abdominal (cm)	104,3	94,8	89,5	– 14,8

Data	21.04.2010	11.05.2010	10.06.2010
IMC (kg/m²)	30,08	28,09	26,25
Classificação	Obesidade grau 1	Sobrepeso	Sobrepeso

O fato de ele fazer os lanches nos intervalos e não ficar sem comer por mais de três horas entre as refeições fez que desta vez ele poupasse a massa magra (músculos), o que trouxe uma significativa melhora na redução de sua massa gorda (gordura).

E sobre os passos ele vinha trazendo uma novidade:

— Dança de salão, doutora! Minha mulher e eu estamos fazendo aula duas vezes por semana, e no fim de semana vamos dançar para colocar em prática o que aprendemos.

Agora mais disposto, dormindo muito melhor (já tinha ido uma segunda vez ao Instituto do Sono para diminuir ainda mais a pressão do CPAP), tinha disposição até para aula de dança de salão, e antes de ir embora completou:

— Sabia que até meu casamento melhorou?! Depois me dei conta de há quanto tempo não levava minha mulher para dançar, sair, só nós dois, sem filhos e netos. Parece que voltamos ao tempo do nosso namoro.

Isso se chama qualidade de vida, que você também pode alcançar, talvez não tão rápido quanto o senhor José Maria, mas aos poucos, mudando seu estilo de vida.

NUTRIÇÃO E SONO

Quando termino de explicar ao paciente todo o envolvimento metabólico para que ele tenha chegado a desenvolver os sinais e sintomas apresentados na anamnese, coloco um *slide* com este título: "Nutrição e sono".

Como diz o ditado, "Uma imagem diz mais que mil palavras…".

Exatamente por isso apresento, no consultório, alguns *slides* que uso até mesmo em palestras, para facilitar a compreensão e a adesão do paciente ao tratamento.

Explico ao paciente que se ele não tiver uma boa noite de sono, um sono de qualidade, restaurador, isso dificultará muito sua perda de peso, além de dificultar também a melhora de muitos sintomas que geralmente esse tipo de paciente apresenta.

Você vai ver que no testemunho que ilustra este capítulo uma de minhas primeiras abordagens foi estabelecer um horário para que a paciente dormisse e acordasse.

Enquanto dormimos nosso corpo produz uma série de substâncias importantes.

Quando temos um sono adequado, produzimos menos grelina, um hormônio responsável por aumentar nosso apetite, e aumentamos o nível de leptina, um hormônio que nos dá sensação de saciedade.

Se dormimos mal, a grelina aumenta, e consequentemente aumenta nossa fome, e baixa o hormônio do crescimento chamado GH, que ajuda na quebra do tecido adiposo (ajuda na chamada lipólise).

Além disso, se não dormimos bem não produzimos melatonina[1] (que é formada a partir da serotonina cerebral), um dos maiores antioxidantes naturais, que nos restaura, ajuda a dormir melhor. Isso leva ainda a uma resistência à insulina, que representa um estrago para a nossa saúde (mais adiante você vai entender por quê).

Para comprovar isso, pesquisadores de uma universidade americana investigaram 70 mil mulheres — isso mesmo, 70 mil — durante dezesseis anos. Metade dormia bem e metade dormia mal. Apesar de as que dormiam mal comerem menos calorias que as que dormiam bem, elas engordaram 30%.

Por isso falo para meus pacientes da importância da "higiene do sono", não apenas para o emagrecimento.

O que mais encontro são principalmente jovens (mas muitos adultos também) viciados em internet, nas redes sociais, SMS, *skype* etc. e joguinhos de computador.

Chegam em casa e ficam diante da tela do computador horas a fio, principalmente à noite e madrugada adentro.

---

1   Melatonina é um hormônio produzido no cérebro a partir da serotonina e tem a função de regular o sono.

Com toda essa iluminação e essa excitação cerebral, como fazer que eles tenham uma boa noite de sono?

Nessa hora é comum o paciente perguntar:

— Afinal, doutora, qual é o ideal quanto às horas de sono?

Uma queixa frequente no consultório é a discrepância entre o número real e o ideal de horas de sono.

Os estudiosos do sono alertam para o fato de que, embora haja uma expectativa geral de que se deve dormir pelo menos oito horas por noite, existe uma grande variabilidade entre as pessoas que depende da idade, do sexo e de outras características pessoais.

O que se conhece é que, em média, recém-nascidos dormem aproximadamente dezesseis horas, crianças de 1 a 3 anos dormem de treze a quinze horas, e de 7 a 12 anos de nove a dez horas; adolescentes dormem de oito a nove horas, adultos em torno de sete a oito horas; idosos dormem menos, de cinco a sete horas, por causa da baixa de melatonina devida à idade.

Vale lembrar que as mulheres na menopausa (como aconteceu com a esposa do senhor José Maria) têm uma modificação em seu padrão de sono que as leva muitas vezes a ter insônia. Também, pudera! Entre os sintomas da menopausa, muitas mulheres desenvolvem os típicos fogachos com sudorese noturna!

Existem ainda "perfis" de dormidores: podem ser classificados como dormidores curtos — que precisam de menos de cinco horas de sono por noite — e dormidores longos — que necessitam de mais de dez horas de sono por noite.

Existem também pessoas matutinas (que dormem e acordam cedo) e pessoas vespertinas (que dormem e acordam tarde).

Veja a importância de verificar qual é o perfil do paciente, principalmente quando é jovem, pois muitas vezes trata-se de um adolescente vespertino que estuda no período da manhã. Seu rendimento não será o mesmo do que teria se estudasse no período da tarde ou à noite.

Individualidade é a palavra-chave.

Para podermos entender um pouco melhor a importância do sono, devemos explicar alguns aspectos importantes sobre a fisiologia do sono, a fim de melhor entender suas alterações e as consequências que isso traz para nossa vida.

Trata-se de uma importante fase de repouso para vários sistemas. Passamos um terço de nossas vidas dormindo. O sono é essencial, reparador para o sistema nervoso central, o sistema respiratório e o sistema cardiovascular. Assim, certamente alterações qualitativas e quantitativas do sono terão grande impacto sobre esses sistemas e ainda outros de nosso organismo.

O sono tem duas fases distintas, que se alternam durante a noite. Uma é a fase REM, em que ocorre uma intensa atividade elétrica cerebral. Durante ela ocorre o maior nível de relaxamento e aprofundamento do sono. É na fase REM que acontecem os sonhos, a consolidação do aprendizado e da memória, a recuperação dos neurotransmissores; portanto, trata-se de uma fase do sono importantíssima para nossa qualidade de vida. Temos também a fase NREM (não REM), que é subdividida em quatro fases (de 1 a 4), quando acontece a liberação do hormônio do crescimento (GH). As fases 1 e 2 são preparatórias do sono, consistindo num sono mais superficial. As fases 3 e 4 são de maior relaxamento, e durante elas o sono é mais profundo.

Quando encontramos pacientes que roncam ou têm distúrbios respiratórios, como o senhor José Maria, isso ocorre na fase REM e nas fases 3 e 4 do sono NREM, pois elas são as de maior relaxamento do organismo.

Por isso, considero de extrema importância incluir em minha anamnese a avaliação da qualidade e da quantidade de sono do paciente.

Os principais exemplos de distúrbios respiratórios que alteram a qualidade do sono são o ronco e, como vimos, a apneia obstrutiva do sono.

O ronco tem alta incidência na população: cerca de 40% a 50% das pessoas roncam, e 98% dos indivíduos obesos (IMC acima de 40) roncam frequentemente. Veremos a seguir as consequências, os distúrbios metabólicos associados ao ronco e, mais seriamente, à apneia obstrutiva do sono.

Sobre a quantidade de sono, as principais queixas em consultório são de privação de sono. Vivemos numa sociedade cronicamente privada de sono em consequência de diversas tarefas e "atrativos", como mencionei acima, da vida moderna (computador, televisão, jogos etc.).

Por outro lado, há também pessoas que até gostariam de dormir, mas não conseguem. Elas têm dificuldade para iniciar o sono ou recuperar o sono perdido no meio da noite. São as famosas pessoas que sofrem de insônia, que mencionarei mais adiante (trataremos inclusive do manejo nutricional para essa desordem).

A principal consequência tanto dos distúrbios respiratórios como da insônia e da privação do sono é a presença de sonolência excessiva diurna.

Outras queixas comuns são cansaço, falta de energia, dificuldade de se concentrar, fraqueza, indisposição, dificuldade para sustentar a atenção e a vigília em tarefas monótonas. Esse é um dos fatores que aumentam o risco de acidentes de trânsito.

Como já mencionei no capítulo anterior, na prática clínica e nos estudos clínicos é utilizada, com comprovação científica, a "Escala de sonolência de Epworth". Ela avalia o grau de sonolência diurna do indivíduo.

Um dos sinais da privação crônica de sono é sugerido quando o número de horas dormidas nos fins de semana é muito maior do que durante a semana.

Os riscos provocados pela má qualidade e pela pouca quantidade de sono fazem-se sentir a curto e a longo prazo.

A curto prazo a pessoa apresentará cansaço e sonolência durante o dia, irritabilidade, alterações repentinas de humor, perda da memória de fatos recentes, comprometimento da criatividade, redução da capacidade de planejar e executar, lentidão de raciocínio, desatenção e dificuldade de concentração.

A longo prazo terá falta de vigor físico, envelhecimento precoce (pelo aumento de radicais livres), diminuição do tônus muscular, comprometimento do sistema imunológico, tendência a desenvolver obesidade, diabetes, alteração da função sexual, doenças cardiovasculares e gastrintestinais e perda crônica da memória.

Quando falamos em insônia, precisamos distinguir a insônia pontual da insônia crônica; esta sim precisa ser tratada. Todo mundo já teve um dia ou dois de insônia por causa de uma prova, de uma palestra, de um casamento ou de um problema específico. Essa é uma insônia pontual.

Para o diagnóstico da insônia crônica é utilizado o seguinte critério: tempo × frequência × período.

Nesses casos, a pessoa demora pelo menos trinta minutos para iniciar o sono ou para voltar a dormir, quando acorda de madrugada. Isso tem que ocorrer pelo menos três vezes por semana e por um período superior a seis meses.

Esse tipo de insônia crônica acomete 20% da população feminina, pessoas que estão separadas ou desempregadas.

Os indivíduos que apresentam insônia crônica são pessoas com grau de alerta elevado, com maior temperatura corporal e ritmo cardíaco também mais elevado. Têm aumento de hormônios como cortisol e adrenalina, associados ambos ao estresse; e sabe-se que o cortisol é antagônico à serotonina, precursora da melatonina, o hormônio do sono.

Existem vários fatores que predispõem e precipitam as pessoas à insônia. Os fatores fisiológicos são alteração hormonal (a menopausa, por exemplo) e temperatura corporal. Existem ainda interferências neurocognitivas conhecidas como "pensamento dependente", que se manifesta por ruminação de pensamentos à noite, preocupações, atenção dirigida a todo instante ao relógio, aos problemas de sono e suas consequências durante o dia. Os fatores chamados comportamentais — e aqui entra muito de meu trabalho — incluem horários irregulares para deitar e levantar, uso de álcool, alimentação muito farta à noite, uso de alimentos estimulantes, como chá, café, chocolate, guaraná, coca-cola, além do hábito de assistir à televisão no quarto.

Eis algumas dicas para uma boa noite de sono:

1. Evite bebidas que contenham cafeína e álcool. Lembre-se de que o álcool aumenta o cortisol, que diminui a produção de serotonina e favorece o ronco.

2. Se tiver o hábito de "beliscar" à noite, opte por alimentos integrais e de baixo índice glicêmico. Uma ceia adequada otimiza o transporte do triptofano[2] da corrente sanguínea para o cérebro e assim melhora a síntese de serotonina.

3. Recomendo sempre um lanchinho de banana com canela e um pouco de semente de girassol.

4. Pratique exercício físico regularmente, mas evite que seja perto da hora de dormir. Tente fazer sua atividade de modo que termine pelo menos duas horas antes de dormir.

5. Use uma máscara de olhos para bloquear o excesso de luz, pois para produzirmos melatonina — o hormônio responsável pela qualidade do sono e pela regularidade dos ciclos do sono — precisamos estar em um quarto escuro. O bloqueio de luz favorece a conversão da serotonina em melatonina. Há estudos que mostram que mesmo uma pequena luminosidade, como a de nosso celular carregando, pode atrapalhar essa conversão.

---

2   Triptofano é um aminoácido (aquelas pequenas partes que compõem a proteína), precursor da serotonina.

6. Só deite na cama para ir dormir.

7. Antes de dormir pratique alguma técnica de relaxamento (a oração do terço é excelente!).

8. Considere a necessidade de utilizar suplementos nutricionais para melhorar a qualidade de sono — como triptofano —, mas lembre que precisamos também de cofatores enzimáticos para uma conversão adequada do triptofano em melatonina. São eles ácido fólico, vitamina B6 e a presença de magnésio.

Como você percebeu, a melatonina é muito importante; eis algumas dicas para aumentar sua produção:

1. Aproveite mais a luz do dia pela manhã. Dormir excessivamente pode dificultar a distinção entre a noite e o dia, reduzindo a amplitude dos ciclos de sono–vigília.

2. Tente exercitar-se pela manhã e não à tarde. A atividade física diminui a produção de melatonina durante o dia. A glândula pineal (localizada em nosso cérebro) funciona como um relógio que precisa ser ajustado todos os dias. A melhor maneira é a combinação de luz e atividade física, e *não dormir durante o dia*.

3. Evite ingestão de cafeína e bebidas alcoólicas durante a noite.

4. O jantar deve ser servido bem antes da hora de dormir. A digestão aumenta a temperatura do corpo e dificulta o sono.

5. Evite atividade mental excessiva após as seis da tarde. A liberação de hormônios ligados ao estresse provocada por essas atividades interfere com a produção de serotonina e consequentemente da melatonina também.

Veja o caso desta jovem cuja mãe me escreveu esta carta:

Um colibri que voltou a voar

Bendito seja Deus que fez nossos caminhos se cruzarem. Doutora Gisela Savioli, permita-me chamá-la de amiga, porque você para mim é um anjo que o Senhor enviou para fazer minha filha sorrir novamente.

Quando pequena, era uma criança saudável. Foi amamentada no peito até os 2 anos de idade. Sua alimentação sempre foi de boa qualidade, porque eu mesma sempre tinha o cuidado de prepará-la, para que ela crescesse com saúde. Até que veio a adolescência...

Como todo jovem, começou a comer sanduíches, refrigerantes, batata frita, *pizza*, chocolates, sorvetes etc. Nesse período, minha filha estava cursando o ensino médio e se preparando para o vestibular.

Ela sempre foi muito responsável, se cobrava demais, e com isso muitas vezes passava o dia todo sem comer, estudando. A maioria das vezes não tomava café da manhã, só almoçava ou jantava muito tarde. Dormia geralmente entre duas e três horas da madrugada e acordava ao meio-dia. Assim, comia fora de hora. Tinha uma vida sedentária.

Enfim, conseguiu entrar na Faculdade de Física da Universidade de São Paulo. As cobranças continuaram e muitos problemas de saúde com seu pai fizeram que o estresse e a ansiedade se tornassem parte do seu dia a dia. E ela, que pesava 65 quilos, chegou ao consultório da doutora Gisela com 76 quilos, triste, ansiosa, estressada, o cabelo caindo, as unhas fracas e quebradiças, a pele ressecada, rangendo os dentes, superesquecida, enfim, um frangalho humano.

Tudo isso resultado de uma vida sedentária, alimentação incorreta, insatisfação com ela mesma e um curso universitário puxadíssimo, no qual ela conseguiu se formar e do qual está terminando o mestrado.

Faz um ano que a doutora Gisela está clinicando minha filha, e ela tem uma coisa boa: é determinada. Por isso, ouviu com atenção tudo aquilo que a doutora Gisela lhe ensinou e passou a executar. Por exemplo, dormir às dez da noite e acordar às oito da manhã, tomar café da manhã, comer cinco frutas diferentes por dia, beber bastante água, tomar lanche à tarde, jantar às sete, caminhar todos os dias e, se pudesse, praticar mais de uma atividade física.

Em relação à alimentação ela retirou, na primeira fase, o leite e seus derivados, o glúten, a soja, as frutas cítricas (as frutas da família da laranja, como limão, mexerica, laranja lima etc.), os frutos do mar, as oleaginosas (amendoim, castanhas, nozes etc.), as frutas secas (damasco, uva-passa, banana-passa etc.), produtos *light* e *diet*, inclusive (e principalmente) refrigerantes, adoçantes e produtos contendo cafeína. Minha filha deveria evitar o máximo possível consumir produtos industrializados, por causa dos corantes e conservantes.

Em compensação, deveria comer muitas frutas (cinco diferentes por dia), muitas verduras, legumes e carnes orgânicos, não tomar líquidos durante as refeições e mastigar trinta vezes antes de engolir os alimentos mais sólidos.

Seguindo à risca tudo aquilo que a doutora orientava, ao longo de um ano de tratamento ela emagreceu nove quilos de gordura, para nunca mais, pela graça de Deus, adquiri-los. Do manequim 46 voltou ao 42.

Ela já havia feito vários regimes. Emagrecia um quilo e ganhava dois. Hoje, depois do tratamento, voltou a sorrir, está conseguindo enfrentar suas batalhas, está comendo direito, está satisfeita e agradecida a Deus e à doutora Gisela, por ter emagrecido com saúde. E um detalhe: ela nunca mais quer voltar a comer o que comia antes.

Peço a Deus para que a doutora Gisela continue nessa missão de orientar a quem a ela recorra, como nutricionista funcional que ela é, e isto faz toda a diferença, e também por ser uma pessoa de Deus, o que para nós é tudo.

Doutora, Deus a abençoe e continue a fortalecê-la. Obrigada, porque você fez minha filha sorrir novamente e alçar voos.

OBESIDADE:
UMA DOENÇA INFLAMATÓRIA

A obesidade é uma doença que tem várias causas implicadas em seu desenvolvimento, desde fatores genéticos até desequilíbrios nutricionais; mais recentemente descobriu-se que toxinas ambientais são também "gatilhos" hormonais.

É preciso dizer, entretanto, que os fatores genéticos representam aí apenas 30%. Nos restantes 70%, serão os fatores ambientais os responsáveis por esse desenvolvimento, e é aqui que entra nosso livre-arbítrio.

Eu costumo dizer que enquanto não sabemos Deus perdoa! Portanto, a partir de agora, de posse dessas informações, você é quem vai decidir sobre sua longevidade.

A cada garfada, você é quem vai decidir se coloca saúde ou doença em seu organismo. Lembre-se que nosso corpo é uma ferramenta indispensável para servirmos a Deus.

Incrível como há pessoas (principalmente homens) que cuidam melhor de seus carros do que de seus corpos... Qualquer probleminha correm para o mecânico. Na hora de escolher um óleo para lubrificar as engrenagens, exigem o melhor!

Por que não fazem isso com o Templo do Espírito Santo que é o corpo humano? Devemos nos lembrar de que é através desse corpo que Deus se comunica conosco.

Se tivéssemos um rádio através do qual pudéssemos ouvir o que Deus quer nos falar, você não cuidaria dele como se fosse uma preciosidade? E por que quando falamos em alimentar nosso veículo de comunicação damos a ele qualquer coisa que vemos pela frente?

E o que é pior: muitas vezes estamos conscientes de que aquele alimento, ou melhor, pseudoalimento é do mal, e mesmo assim o comemos.

Lembram do livro de Daniel? Quando o rei da Babilônia mandou trazer jovens israelitas de origem real ou de família nobre para que fossem preparados durante três anos a fim de ingressar nos serviços do palácio real?

Querendo dar só o melhor para eles, o rei quis que a alimentação saísse de sua mesa real, inclusive o vinho.

Ao saber disso, Daniel tomou a decisão de não comer nem beber daquilo que viesse da mesa do rei, e fez essa solicitação ao chefe dos eunucos. Este, por sua vez, manifestou sua preocupação de que se o fizesse o rei poderia perceber sua fisionomia mais abatida do que a dos outros jovens de sua idade.

Daniel pediu então para fazer uma experiência de dez dias, e ele concordou. Nesse período Daniel, acompanhado de Ananias, Misael e Azarias, só comeu legumes e bebeu água.

No fim desse prazo, o chefe dos eunucos viu que eles tinham melhor aparência e estavam mais fortes que aqueles que se alimentavam das iguarias reais.

Passados três anos, eles foram introduzidos na presença do rei. A Bíblia diz que "entre todos os jovens nenhum houve que se comparasse a eles". Em qualquer situação que necessitasse de sabedoria e sutileza eram consultados, e o rei os achava dez vezes superiores a todos os outros (escribas e mágicos do reino).

Uma alimentação adequada, rica em nutrientes, faz que nosso organismo funcione bem, pense bem, aprenda melhor, tenha mais concentração.

Nós trocamos 50 milhões de células todos os dias. Cada célula de nosso corpo precisa de pelo menos 45 nutrientes conhecidos para poder desempenhar corretamente sua função.

Apesar de os nutrientes presentes nos alimentos serem a matéria-prima para a formação, a manutenção e a reestruturação celular, a simples ingestão deles não nos garante que estarão disponíveis para ser utilizados.

Para que isso aconteça, é fundamental que nosso organismo tenha condições bioquímicas e fisiológicas adequadas para disponibilizar e absorver os nutrientes contidos nos alimentos.

Quando vamos iniciar nosso protocolo, eu sempre começo explicando para meu paciente:

— Nosso organismo não entende o alimento. Ele entende os nutrientes que estão contidos nesse alimento, e é por isso que temos um grande trato gastrintestinal, para ir quebrando esse alimento até transformá-lo em nutrientes.

Costumo desenhar um grande colar de pérolas e explicar que se o colar não for todo quebrado, isto é, se o alimento não for bem digerido, e se os nutrientes não estiverem na forma de pérolas, nosso organismo não conseguirá absorvê-los.

Outro detalhe importante é o paciente entender que a maioria dos alimentos tem todos os nutrientes, isto é, carboidratos, proteínas e gorduras.

Salvo algumas exceções, como o mel, que é 100% carboidrato, os óleos, que são 100% gordura, e as proteínas de origem animal, que não possuem carboidratos, mas apenas gordura, os outros alimentos têm os três nutrientes juntos. O limão, por exemplo, tem gordura em sua composição.

Depois de corretamente "quebrados", isto é, digeridos, esses nutrientes precisarão ser absorvidos e transportados até a célula. Ao chegar ao seu destino, esse nutriente ainda terá que atravessar a membrana celular e ter condições de executar sua função dentro da célula.

Além disso, produzimos diversas substâncias que podemos chamar de "lixo metabólico" e que precisam ser eliminadas de nosso organismo, assim como toxinas que tenham sido absorvidas do meio ambiente.

Para que tudo isso ocorra com eficiência, precisamos de um bom funcionamento de todos os nossos processos metabólicos e hormonais.

Se por acaso uma dessas etapas não acontecer corretamente, de nada vai adiantar eu ingerir uma alimentação adequada. O organismo vai apresentar carências nutricionais que o levarão a desenvolver deficiências funcionais.

O que mais encontro em meu consultório são pessoas obesas e, por mais incrível que possa parecer, desnutridas!

A restauração nutricional do paciente é fundamental para o sucesso de qualquer abordagem, e não é de admirar que a obesidade venha aumentando a ponto de ser chamada de "globesidade".

A OMS calcula que desde 1980 a obesidade tenha mais que triplicado em todo o mundo, inclusive nos países em desenvolvimento.

Justamente em países que se industrializam rápido, a incidência da obesidade está crescendo agudamente, o que faz aumentar a epidemia das doenças a ela associadas, como diabetes, dislipidemias[1], doenças hepáticas, aterosclerose e alguns tipos de câncer.

Para você ter uma ideia da gravidade, em 2005 a estimativa era de que 1,6 bilhão de adultos (idade superior a 15 anos) estavam com sobrepeso e que 400 milhões eram obesos.

Para 2015 a OMS projetou que aproximadamente 2,3 bilhões de adultos estarão com sobrepeso e mais de 700 milhões com obesidade.

Esses dados são alarmantes, pois com a obesidade aumenta igualmente a epidemia de doenças a ela associadas, como diabetes e hipertensão (que permanecem muitas vezes silenciosas, assintomáticas), potencializando, .entre outras, o desenvolvimento das doenças cardiovasculares, as que mais matam hoje no mundo inteiro.

No congresso da Socesp, uma palestra me chamou a atenção: mostrava um gráfico com o número de mortes por doença. Se somadas às mortes causadas por câncer e

---

1   Dislipidemias são as doenças relacionadas ao aumento dos lipídeos (gordura) no sangue, principalmente do colesterol e dos triglicerídeos.

aids, elas representavam a metade das mortes ocorridas por doenças cardiovasculares.

Metade das pessoas que são portadoras de diabetes hoje não sabe disso. Por isso, insisto tanto para que não percam a oportunidade de verificar a glicemia por ocasião das campanhas públicas.

Muitas vezes, quando o paciente "descobre" que tem diabetes, é por causa de algum sintoma que começa a surgir, e então já se passaram em torno de dez anos, e durante todo esse tempo a função renal foi se deteriorando.

O rim é um órgão importantíssimo. A função mais conhecida é a filtração com a eliminação de substâncias tóxicas, mas os rins também produzem hormônios que agem nas mais diferentes partes do corpo.

A falta de controle da pressão arterial também prejudica este órgão. Da mesma forma que a verificação da sua glicemia, é importante saber também como está a sua pressão arterial.

A pressão alta é conhecida entre os médicos como a assassina silenciosa. Muitas vezes o primeiro sintoma já pode ser um acidente vascular cerebral, o conhecido derrame.

Até os anos 1990 nosso tecido adiposo era considerado apenas um grande reservatório de gordura, mas com a descoberta de um hormônio por ele produzido chamado leptina — que sinaliza para nosso sistema nervoso central qual é a quantidade de energia que o corpo tem estocada — esse tecido passou a ser considerado também um órgão endócrino.

Há aproximadamente dez anos a obesidade foi reconhecida pelos pesquisadores como *uma condição com baixo grau de inflamação crônica*, o que fez que a visão do tecido adiposo mudasse radicalmente. Desde então, o aumento de gordura corporal tem sido associado ao aumento de diversas substâncias inflamatórias.

Você deve estar se perguntando: como exatamente ocorre essa inflamação?

Nosso tecido gorduroso — que de agora em diante chamarei de tecido adiposo — é formado por células que recebem o nome de adipócitos. Essas células, além de estocar gorduras, regulam vários aspectos de nosso metabolismo, produzindo uma série de hormônios e moléculas inflamatórias.

A inflamação induzida pela obesidade é também chamada de "metainflamação", por seu potencial envolvimento em algumas doenças, como resistência à insulina, diabetes tipo 2, doenças cardiovasculares, esteatose hepática[2], além de diversos tipos de câncer.

Para simplificar, pode-se dizer que a obesidade ocorre pelo resultado de um aumento do tecido adiposo que pode acontecer de duas formas: com o aumento do número de células (hiperplasia), ou com o aumento do tamanho das células já existentes (hipertrofia).

As células de gordura podem aumentar em até mil vezes só por hipertrofia, independentemente da época de vida, desde que haja espaço disponível nos adipócitos.

Ao contrário do que se pensava, a hiperplasia (aumento de células novas) pode ocorrer em qualquer época da vida, e não apenas na infância e na adolescência.

---

2   Esteatose hepática é o depósito de gordura no fígado.

Quando a quantidade de gordura nas células existentes alcança o limite de sua capacidade, uma nova célula cresce para, assim, poder acumular mais gordura.

Por isso, é mais difícil ter sucesso na manutenção do peso em pessoas que tem uma obesidade hipercelular do que na obesidade hipertrófica.

Como já disse, nosso tecido adiposo é um órgão secretório ativo que produz inúmeras substâncias para sinalização em nosso metabolismo. Entre elas estão substâncias ativadoras de nosso sistema imunológico, e sua relação com a inflamação é compreensível, visto que várias dessas substâncias são pró-inflamatórias.

Além disso, quando temos esse processo inflamatório na obesidade, ocorre também um aumento do estresse oxidativo. Eu costumo explicar: o ferro enferruja, nós oxidamos.

Esse estresse oxidativo resulta do acúmulo de radicais livres, que são substâncias que danificam as células. Acredita-se que o dano causado pelo estresse oxidativo contribua para o envelhecimento e para o surgimento de muitas doenças. Na obesidade, a produção de radicais livres aumenta nos adipócitos.

Temos também células em nosso organismo chamadas de macrófagos, que são células de defesa que atuam na resposta inflamatória. Eles são os grandes "faxineiros" (fagocitam, isto é, "englobam e digerem" o que precisa ser eliminado) e "fofoqueiros" de nosso organismo, sinalizando para outras células do sistema de defesa o que deve ser combatido.

Esses macrófagos acabam por se infiltrar no tecido adiposo em resposta à produção de substâncias pró-inflamatórias do próprio adipócito.

As substâncias produzidas tanto pelo tecido adiposo como pelos macrófagos, que também secretam substâncias sinalizadoras, caem na corrente sanguínea, o que torna essa inflamação sistêmica.

Mas é possível também que a presença de inflamação esteja aumentada por outras causas, por exemplo alergias alimentares, principalmente no caso das alergias consideradas "tardias", que podem se manifestar, de forma subclínica, até três a quatro dias depois de o alimento ter sido consumido.

Essas alergias geram processos inflamatórios que contribuem para uma resistência à insulina, pois a presença dessas substâncias inibe a ação da insulina por meio de alteração da sinalização de seu receptor. Além disso, essas substâncias pró-inflamatórias exacerbam a produção de radicais livres, aumentam os níveis de cortisol (lembra do estrago do excesso de cortisol quando falava sobre estresse com o senhor José Maria?) e aumentam as moléculas de adesão plaquetária, contribuindo para o processo de aterogênese (aquele que entope as artérias e veias).

Mas essa produção de substâncias pró-inflamatórios também sofre influência das gorduras da dieta, como a gordura saturada, a gordura *trans* e o aumento no consumo de ácidos graxos poli-insaturados da série ômega 6 em desequilíbrio com os da série ômega 3, tudo isso gerando uma lipotoxicidade, uma das causas também da resistência à insulina.

Tanto o ômega 3 como o ômega 6 são ácidos graxos essenciais, isto é, precisamos ingeri-los, pois nosso corpo não tem a capacidade de fabricá-los, mas o grande problema é que atualmente estamos consumindo muito mais ômega 6 do que ômega 3, conferindo à nossa dieta ocidental o aspecto de dieta pró-inflamatória.

O ideal seria a seguinte relação: uma porção de ômega 3 para cada duas, no máximo quatro porções de ômega 6. Só que atualmente estamos consumindo uma porção de ômega 3 para 20, até 30 porções de ômega 6.

O ácido graxo ômega 3 é encontrado principalmente nas gorduras dos peixes de águas frias e profundas; já o ácido graxo ômega 6 tem suas principais fontes nos óleos vegetais (girassol, milho, soja, algodão).

A integridade da mucosa intestinal também tem um papel fundamental em todo esse processo, por isso temos um capítulo dedicado ao intestino, nosso segundo cérebro. Quando não estamos com este órgão saudável, ocorre o que se chama de disbiose, um desequilíbrio entre as bactérias que habitam nosso intestino, permitindo a entrada de toxinas, xenobióticos (substâncias estranhas que entram em nosso organismo, inclusive pela alimentação) e alérgenos alimentares.

Em consequência de uma alteração na permeabilidade intestinal ocorre a translocação dessas substâncias, que passam do intestino para a corrente sanguínea, desencadeando novos processos inflamatórios, que contribuem, como já vimos, para a resistência à insulina e o consequente aumento de adiposidade e resistência na perda da gordura corporal.

Existe também um aumento dos níveis de estrógeno (hormônio feminino) e uma diminuição dos níveis de testosterona (hormônio masculino). Em consequência de desequilíbrios nutricionais de alguns minerais, ocorre o aumento na atividade de uma enzima presente no tecido adiposo chamada P450 aromatase.

Essa enzima converte, dentro do tecido adiposo, hormônios como a testosterona em estradiol (hormônio feminino), contribuindo ainda mais para o acúmulo de gordura visceral (aquela que fica na região abdominal), a responsável pela diminuição da sensibilidade da insulina nas células musculares.

Não posso deixar de mencionar aqui um outro problema, muito frequente nas mulheres: a constipação intestinal. Com o trânsito intestinal mais lento ocorre um aumento da reabsorção do hormônio feminino, o estrógeno, pois certas bactérias patogênicas que se encontram presentes no intestino (por causa da disbiose, lembra?) produzem enzimas (betaglucuronidases[3]) que "desmontam" o estrógeno que ia ser excretado, fazendo que ele seja reabsorvido.

Como se tudo isso não bastasse, a deficiência de vitaminas lipossolúveis, como as vitaminas A e D, pode ativar respostas erradas dentro de nossas células, fazendo que receptores nucleares (lá onde está nosso código genético, o DNA) fiquem em desequilíbrio, facilitando a diferenciação adipocitária, isto é, mandando a informação errada de que é para transformar pré-adipócitos em adipócitos maduros, que são novas células de gordura (a hiperplasia de que falei no início deste capítulo).

Outra situação que estimula a produção de novas células de gordura é a que se caracteriza por resistência à insulina e ingestão de dieta muito rica em ácidos graxos.

Para não complicar mais as coisas e finalizar essa "tragédia", esses pré-adipócitos, quando ativados, podem se dife-

---

3 Betaglucuronidases são enzimas produzidas por bactérias patogênicas que desmontam o hormônio estrogênio que estava pronto para ser eliminado, fazendo com que seja reabsorvido.

renciar também em outro tipo de célula, que não é uma célula de gordura! Você deve estar pensando que isso é uma coisa boa, certo? Ledo engano! Esses pré-adipócitos ativados podem, sim, se transformar naqueles macrófagos de que falamos há pouco. E você lembra que esses macrófagos também produzem substâncias sinalizadoras de inflamação dentro do tecido adiposo?

Pois é, parece um filme de terror, mas é isso mesmo que acontece quando engordamos. Saímos de férias, comemos até não poder mais e dizemos:

— Depois, quando eu chegar em casa, faço uma dieta!

Agora que você conhece um pouco mais sobre todo esse processo inflamatório gerado pelo excesso de gordura, vai se expor a esse risco?

Temos que vigiar constantemente para que nosso corpo, que é Templo do Espírito Santo, esteja sempre o mais saudável possível, de modo que possamos ser instrumentos úteis na mão do Senhor, que espera que cada um de nós faça sua parte na construção do Reino.

É orar e vigiar. Ou como Pedro escreve em sua primeira epístola, no capítulo 5, versículo 8: "Sede sóbrios e vigiai".

AMBIENTE OBESOGÊNICO

Está mais do que claro que os índices de obesidade têm aumentado nos últimos anos, e temos observado cada vez mais indivíduos obesos em nossas populações, tanto no Ocidente como no Oriente.

Isso se deve a diversos fatores, não apenas nutricionais, que podem ter início num ambiente intrauterino inadequado. Isso mesmo, o modo como sua mãe viveu sua gestação reflete em sua saúde hoje, positiva ou negativamente.

No Congresso Internacional de Nutrição Clínica Funcional de 2010, foi apresentada uma palestra muito interessante em que se mostrou que a epidemiologia da obesidade tem aumentado muito porque as mulheres não estão se cuidando, e essa falta de cuidado em termos nutricionais e de estilo de vida programa seus filhos para o desenvolvimento de doenças, inclusive, e principalmente, para a obesidade.

Fisiopatologia é o estudo do mecanismo que leva ao aparecimento de doenças, permitindo a elaboração de estratégias preventivas e, quando instaladas, o tratamento delas.

Já em 2005 o doutor L. Cordain publicava artigos em que mostrava que a fisiopatologia das doenças crônicas da vida moderna é regulada pela dieta, pela suscetibilidade genética e pela exposição a agentes e poluentes ambientais.

Ele é um dos maiores estudiosos da dieta paleolítica, a dieta de nossos antepassados. Veja as diferenças entre essa dieta e nossa dieta ocidental.

Na dieta paleolítica:

— 65% de carnes magras, aves selvagens, ovos, peixes e frutos do mar;

— 35% de frutas, vegetais, oleaginosas e mel.

Na dieta ocidental:

— 55% de cereais, leite e derivados, açúcar e adoçantes, gordura hidrogenada e álcool;

— 28% de carnes gordas, ovos, frangos, peixes e frutos do mar;

— 17% de frutas, vegetais, oleaginosas e mel.

Mudamos nosso padrão alimentar para uma dieta altamente industrializada, com excesso de calorias vindas de alimentos ricos em açúcar e gordura. Sem esquecer do consumo exagerado de álcool.

Como já mencionado no capítulo anterior, o trabalho conduzido pelo IBGE de Pesquisa de Orçamentos Familiares (POF) mostrou que tivemos um aumento no consumo de proteínas de origem animal, açúcar, gordura saturada, produtos industrializados e, principalmente, biscoitos e refrigerantes. E uma diminuição no consumo do nosso arroz e feijão, de gorduras de boa qualidade, de frutas e hortaliças.

Uma das principais fontes de açúcar hoje vem dos refrigerantes, que tiveram seu consumo aumentado em 400% aqui no Brasil, segundo os dados do POF. Como já mencionado, esse aumento da obesidade está sendo chamado de "globesidade".

O açúcar já ocupou as capas de revistas importantes. Nos Estados Unidos, especialistas em saúde e nutrição começaram a tratar o açúcar com o mesmo rigor que isolou o tabaco do convívio social.

Em suas várias formas, o açúcar é o grande promotor da obesidade, dizem as matérias, e que níveis altos no sangue podem ser associados a quase todas as moléstias degenerativas, do ataque cardíaco ao derrame cerebral e ao diabetes, além da associação com alguns tipos de câncer.

Nos Estados Unidos, já existe um movimento sólido, integrado por renomados cientistas, contra o consumo de refrigerantes. Uma latinha de refrigerante normal tem 150 calorias, o equivalente a dez colheres de chá de açúcar. Se um adulto beber uma lata por dia (além das calorias necessárias) poderá chegar ao fim de um ano com sete quilos a mais na balança.

Além disso, porções diabolicamente generosas é outra coisa que copiamos dos norte-americanos, que adoram tudo o que é gigantesco, monumental.

Um exemplo de como as porções cresceram: em 1960, a porção de batatas fritas do McDonald's tinha 200 calorias, hoje tem 610!

Existe uma teoria que afirma que os norte-americanos associam grandes porções ao poder e à masculinidade.

E quem já não viu mães substituindo água por refrigerante na mamadeira do filho?

Uma criança é exposta em várias fases de sua vida a alimentos que contribuem para o desenvolvimento da obesidade. Infelizmente, numa sociedade em que tempo é considerado dinheiro, poucas são as mulheres que querem "perder" tempo cozinhando. Mais fácil e até mais barato comprar pronto.

No entanto, hoje a ciência está nos mostrando que a qualidade do alimento interfere, e muito, no desenvolvimento da obesidade.

Sabe-se hoje que as toxinas que são utilizadas no campo para aumentar a produtividade e diminuir o tempo de crescimento das culturas têm um impacto importante no ambiente e na qualidade nutricional dos alimentos que estamos consumindo.

Essas toxinas contaminam a água, poluem o ar, diminuem a biodiversidade e, mesmo que viessem a ser proibidas, permanecem no ambiente por vários anos, por serem de difícil degradação.

A Anvisa criou o Programa de Análise de Resíduos de Agrotóxicos em Alimento (PARA), que teve início em 2002. A última análise publicada foi realizada em 2008, quando se constatou que os alimentos mais intoxicados eram o pimentão, o morango, a uva, a cenoura, a alface e o tomate.

Como não é todo mundo que pode se dar ao luxo de comprar alimentos orgânicos ou plantá-los (como é o caso de vários pacientes que tem sítios e acabam adquirindo este passatempo), é bom evitar esses seis alimentos.

As toxinas têm uma relação direta com o desenvolvimento da obesidade, e hoje são classificadas como obesogênicos ambientais; elas agem como disruptores endócrinos. O que é isso?

Estas toxinas ocupam os receptores hormonais de nosso organismo!

Para que um hormônio possa realizar sua função, ele precisa se "ligar" a um receptor celular para então desencadear uma série de ações em nosso metabolismo. É como se o hormônio fosse uma "chave" e o receptor a "fechadura".

Acontece que essas toxinas têm a capacidade de ocupar os receptores (as fechaduras) de nossos hormônios; assim, por terem um perfil lipolítico (gorduroso), ocupam principalmente receptores de hormônios estrogênicos, levando a uma sinalização alterada desses hormônios que pode contribuir para o desenvolvimento da obesidade.

Uma das maiores pesquisadoras da relação entre toxinas e obesidade, a doutora Baillie-Hamilton, foi uma das primeiras a publicar artigos sobre este tema.

Ela demonstrou que a evolução da produção química foi equiparada ao aumento da epidemiologia da obesidade. O estudo foi feito a partir de 1930 até o ano 2000. Veja, na página seguinte, o interessante gráfico por ela apresentado.

Essa pesquisadora também demonstra que as toxinas podem entrar no organismo em consequência do consumo de produtos animais, potencializando o ganho de peso e causando outros problemas relacionados com a obesidade.

A produção de compostos químicos sintéticos e o percentual de adultos obesos nos Estados Unidos durante o século XX

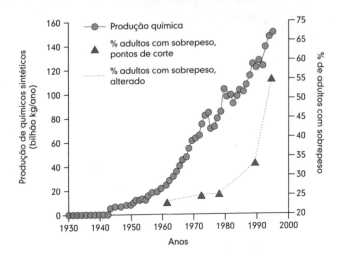

Fonte: Baillie-Hamilton, 2002 apud Naves, 2009, p. 29.

Devemos lembrar que os produtos de origem animal possuem tecido adiposo, e essas toxinas se depositam com muita facilidade nele. Ao consumir esse tipo de alimento, essas toxinas entram em contato com nosso organismo e podem desregular os mecanismos de controle do peso corporal.

Peixes e outros animais marinhos, particularmente os mais gordurosos, como os frutos do mar e os grandes predadores (como o cação, por exemplo), possuem altos níveis de contaminantes. Por isso, é importante também conhecer a origem de nosso alimento. Sempre peço a meus pacientes que comprem peixes de pequeno porte, como sardinha, por exemplo, que é de fácil disponibilidade e baixo custo.

Outro detalhe importante é pedir aos fabricantes de suplementos de óleos de peixes (os famosos ômegas) que apresentem laudos da composição do conteúdo de suas cápsulas para assegurar que não tenham sido fabricadas com peixes contaminados.

Atualmente, entramos em contato com cerca de 60 mil compostos tóxicos todos os dias! Estamos cercados por toxinas, presentes desde em nossa alimentação até nos produtos de higiene pessoal, que também são considerados xenobióticos.

Xenobióticos são substâncias químicas de origem exógena, isto é, que entram em nosso organismo e podem interferir na produção, na liberação, no transporte, no metabolismo, na ligação ou na eliminação dos hormônios naturais responsáveis por nossa saúde.

Muitos produtos de uso pessoal, como os desodorantes *spray*, os perfumes industrializados com os quais costumamos perfumar ambientes e outros produtos que fazem parte da vida moderna contêm compostos químicos (xenobióticos) que agem como disruptores endócrinos.

Sempre tento convencer meu paciente a trocar seu desodorante habitual pela aplicação de leite de magnésia de Phillips em suas axilas, e não é raro ouvir o comentário:

— Nossa, doutora, minha avó só usa isso...

A doutora Baillie-Hamilton observa ainda que o organismo humano possui um sistema efetivo e natural de emagrecimento, e que quando esse sistema funciona de forma adequada e sinérgica, por meio da ação de nutrientes, as toxinas são facilmente eliminadas.

Muitos dos paciente obesos têm um perfil de micronutrientes muito baixo e um estoque de toxinas em seu tecido adiposo muito grande. Isso compromete a perda de peso e causa até mesmo uma resistência a essa perda.

Muitas vezes, o paciente não responde ao tratamento dietoterápico porque está desnutrido, intoxicado e com sua microbiota intestinal completamente inadequada.

Um dos grandes contaminantes ambientais hoje chama-se bisfenol A (BFA), um composto que vem sendo utilizado na fabricação de plásticos policarbonatos (mamadeiras, pratos, copos, xícaras, garrafões d'água reutilizáveis e uma infinidade de outros produtos de plástico), bem como nos revestimentos de recipientes e embalagens à base de resina epóxi (latas de conserva, de bebidas e outros tipos de acondicionamento destinado a alimentos, bebidas e cosméticos, inclusive para bebês).

Na verdade, a lista de produtos que levam bisfenol A em sua composição é imensa, e por isso não é possível calcular o nível total de contaminação diária a que estamos expostos.

Apesar de o bisfenol A ser utilizado em larga escala pela indústria do plástico desde os anos 1940, afirma-se que seus efeitos deletérios só foram descobertos, por acaso, em 1993, quando cientistas da Universidade Stanford teriam estranhado que os resultados de seus trabalhos laboratoriais estivessem sendo distorcidos. Investigaram e descobriram que partículas microscópicas de bisfenol A estavam sendo liberadas do revestimento dos frascos de laboratório e migrando para seus conteúdos. Os efeitos estrogênicos e tóxicos dessas partículas é que estavam alterando os resultados de seus trabalhos laboratoriais.

O bisfenol A também age como um disruptor endócrino, ou seja, como um desregulador de nosso sistema hormonal.

Dentro do corpo, ele age como xenoestrógeno, isto é, imitando e alterando alguns efeitos do hormônio feminino estrógeno.

Os trabalhos mostram que os disruptores endócrinos são uma classe específica de toxinas que mimetizam (imitam) ou interferem na produção, na liberação, no transporte, no metabolismo, na ligação ao receptor, na ação e na eliminação de todos os hormônios naturais que produzimos e são responsáveis pelo bom funcionamento de nosso organismo.

Há um consenso de que ele são lipolíticos, resistentes ao metabolismo, e capazes de se concentrar na cadeia alimentar e na água.

Além disso, são facilmente estocados no tecido adiposo e podem ser transferidos da mãe para o filho durante a vida intrauterina, via placenta, e também durante a amamentação pela gordura presente no leite materno. Vemos assim a importância de a mulher evitar a exposição a esses contaminantes ambientais, a fim de preservar seu filho desde cedo a essa exposição tóxica.

Estamos hoje cercados de produtos plásticos, e substâncias tóxicas como o bisfenol A são as substâncias estrogênicas obesogênicas mais potentes descritas na literatura e que têm relação com a obesidade. Por isso, considero fundamental a redução do consumo de alimentos industrializados para o sucesso na perda de peso.

No Congresso Internacional de Nutrição Funcional de 2009 foi apresentado um trabalho sobre a qualidade da água na região de Campinas, e observou-se que ela estava contaminada com bisfenol A e estradiol (hormônio feminino), substâncias que podem interferir na regulação do metabolismo e também causar uma resistência à perda de peso.

Encontrei a última novidade num trabalho publicado recentemente, em 2009, no qual se mostra que as garrafas PET[1] podem liberar substâncias estrogênicas na água.

Esses "estrogênios ambientais" se ligam a receptores específicos em nosso organismo, contribuindo para o desenvolvimento de câncer e obesidade. Portanto, até a água que consumimos dessas garrafinhas plásticas (quem não leva uma na bolsa ou deixa no carro?) pode ser um fator de resistência à perda de peso.

A Fundação Oswaldo Cruz (Fiocruz) apresentou um trabalho no qual se verificou que todos os filmes plásticos analisados apresentavam teores de um metabólito dos ftalatos[2] (outro xenoestrógeno) chamado DEHP muito superiores ao limite permitido por lei. A taxa de migração foi cinquenta vezes superior à ideal, e os principais alimentos contaminados com essa toxina foram peito de frango, carne bovina, *pizza*, coxa de frango e mussarela.

Por isso, caso você ainda consuma frios, nunca compre aqueles que já estão fatiados e embalados com filme plástico. Mande fatiar na hora e, se possível, peça ao balconista que coloque um papel em cima deles antes de passar o filme plástico. Lembre que gordura tem afinidade com gordura, e essas toxinas "migram" facilmente em contato com a gordura de frios como queijos e embutidos (presunto, mortadela etc.).

---

1   PET é a abreviação de politereftalato de etileno, um polímero termoplástico usado largamente na indústria de bebidas e refrigerantes.

2   Os ftalatos fazem parte de um grupo de substâncias químicas utilizado para deixar o plástico mais maleável. Dentre os tipos de ftalatos existe um que é pior, o DEHP (ftalato de di-2-etilhexila), um dos mais difíceis de serem biodegradados.

Bem, você deve estar se perguntando:

— O que fazer, então? Vivemos cercados por toxinas! Entendendo como agem, podemos estudar uma maneira de minimizar o seu impacto em nossa saúde.

Como vimos, o tecido adiposo é um grande reservatório de toxinas, e a pessoa obesa tem uma facilidade enorme de estocá-las, principalmente uma classe chamada de poluentes orgânicos persistentes (POPs), que são encontrados em pesticidas, plásticos, gordura animal, entre outros.

Essas substâncias se estocam com muita facilidade no tecido adiposo, pois sua estrutura química é a de uma gordura. Elas são lipossolúveis e têm afinidade justamente com o tecido gorduroso.

O doutor Marc Hyman, do Institute for Functional Medicine, é um grande estudioso dos efeitos das toxinas na obesidade. Ele observa que as toxinas afetam a regulação hormonal, os mecanismos neuro e imunorregulatórios, a função mitocondrial (as mitocôndrias são as usinas de energia da nossa célula), e levam ao estresse oxidativo, por meio da interação com diversos receptores nucleares (ali onde está nosso DNA, nosso código genético).

E sabe quais os principais receptores nucleares de que essas toxinas gostam? Justamente dos chamados receptores de PPAR-γ[3], que operam a diferenciação celular, fazendo que os pré-adipócitos se transformem em adipócitos maduros.

Portanto, é importantíssimo reduzir, ao máximo possível, a exposição tóxica do paciente e fazer que ele restabeleça seu

---

3   PPAR-γ pertencem à família de receptores que ficam no núcleo da célula e regulam a glicose, o metabolismo de lipídeos e a inflamação.

equilíbrio nutricional, a fim de poder eliminar as toxinas que irá liberar quando emagrecer e quebrar esse tecido gorduroso.

Eis alguns conselhos para minimizar o impacto dessas substâncias:

— Dar preferência sempre ao aleitamento materno, assim não haverá necessidade de mamadeira. Se necessário, usar mamadeira de vidro, e se não for possível mamadeira de plástico sem bisfenol A (informar-se junto ao fabricante e às autoridades sanitárias). Jamais esquentar mamadeiras de plástico contendo comida ou bebida, nem colocar comida ou bebida aquecidos dentro delas.

— Nunca esquentar comida ou bebida em recipiente de plástico ou com revestimento que contenha bisfenol A, e nunca colocar comida ou bebida aquecidas nesses recipientes.

— Evitar lavar mamadeiras e outros recipientes que contenham bisfenol A em lava-louças com altas temperaturas.

Precisamos procurar fazer as escolhas mais seguras possíveis em matéria de embalagem e de estocagem de alimentos, guardando a comida em vidro, cerâmica ou em recipientes de aço inoxidável.

Você talvez pense que nunca fez isso, mas garanto que já esquentou, no dia seguinte, a *pizza* no microondas, naquela embalagem de papelão em que ela é entregue, certo? Ela é de papelão por fora, mas dê uma olhadinha no revestimento interno. Aquela película plástica é bisfenol A!

NUTRIÇÃO CLÍNICA FUNCIONAL: A NUTRIÇÃO DO SÉCULO XXI

Falar de nutrição clínica funcional é dar meu testemunho pessoal de como esse conhecimento contribuiu para um salto de qualidade em minha vida profissional.

Antes, porém, é necessário esclarecer que a nutrição clínica funcional é uma ciência integrativa, profunda, e que toda conduta é embasada em evidências científicas.

O profissional que decide trabalhar na área da saúde precisa ser muito estudioso e dedicado para estar sempre atualizado, pois as produções científicas são muitas.

Particularmente, dedico todos os dias um período ao estudo, e quando não estou fazendo alguma especialização ou pós-graduação que me absorva um fim de semana inteiro por mês (dez horas no sábado e dez horas no domingo) participo de cursos de atualização, que podem ser aos sábados ou ocupar um fim de semana inteiro.

Quem se animar a seguir essa profissão tem que adorar bioquímica, que é a ciência que estuda todos os processos químicos que acontecem nos organismos vivos. Nosso corpo é um verdadeiro laboratório de reações.

Não consigo entender quem estuda biologia molecular e diz não acreditar que Deus existe!

Nutrição é minha segunda carreira. Quem quiser conhecer mais detalhes a esse respeito, sugiro a leitura de meu livro *A filha da fé*, também de Edições Loyola.

Nunca tive dúvida do tipo de nutrição que desejava praticar: a nutrição clínica. Cuidar da saúde das pessoas, por meio da alimentação e da orientação para hábitos saudáveis, sempre foi minha meta e estabeleci isso como missão.

Desde o começo, vi que deveria trabalhar com o paciente de forma individualizada e observando suas dimensões física, psíquica e espiritual. Isso sempre ficou muito claro para mim, tanto pela minha formação cristã como pelo exemplo de como meu marido, o cardiologista Roque Marcos Savioli[1], tratava seus pacientes.

Sempre me preocupei em conhecer o estilo de vida de meus pacientes, como eram seus momentos de lazer, seu envolvimento com o trabalho, enfim, tudo que fizesse parte de seu contexto, para então poder entrar em sua rotina respeitando seus gostos, sua cultura e sua história de vida.

Como eram os resultados? Bons, mas não como eu gostaria. No início de minha carreira os pacientes, em sua maioria, eram amigos, conhecidos e, claro, pacientes do doutor Roque.

---

1 Dr. Roque Marcos Savioli é médico especialista e doutor em cardiologia pelo HC – FMUSP e médico supervisor da unidade de cardiogeriatria e cardiopatia na mulher da divisão clínica do Instituto do Coração do HC – FMUSP.

O perfil clássico eram homens na faixa dos 50 anos, acima do peso, com problemas de dislipidemias (níveis elevados de lipídios no sangue), hipertensos e com hábitos alimentares totalmente errados.

Como eu nunca acreditei em regimes, sempre trabalhei a mudança de hábitos pela introdução de alimentos saudáveis (ou pelo menos que eu acreditava que fossem naquela época) e atividade física.

De fato, os pacientes emagreciam, sentiam-se melhor e mais bem dispostos, conseguiam negociar horários em suas agendas para incluir inclusive uma atividade física que fosse prazerosa para eles, mas a famosa barriguinha insistia em permanecer.

Eu não entendia (bioquimicamente falando) por que aquela adiposidade central era tão resistente. Por mais atividade física que eles fizessem, a famosa barriguinha continuava lá! Persistente! Incomodando não só a meus pacientes, mas principalmente a mim, pois sabia que essa gordura acumulada na região abdominal era (e continua a ser) um fator de risco importante para doenças cardiovasculares.

Eu pedia paciência, pois, afinal, levam-se anos ganhando e estocando gordura, e na hora de eliminá-la todos queriam resultados imediatos.

Essa era a minha visão, até o dia em que comecei a estudar a Nutrição Clínica Funcional e tomar contato com a individualidade bioquímica. Daí em diante, minha vida acadêmica e profissional mudou.

Ao saber que o Centro Valéria Paschoal de Educação, além da pós-graduação em nutrição funcional, realizava mensalmente cursos de extensão de dez horas aos sábados, não tive dúvida e comecei a frequentá-los, o que fiz durante dois anos.

Isso ocorreu entre meu último ano da faculdade e o ano em que fiz minha especialização em Saúde da Mulher no Climatério da Faculdade de Saúde Pública da USP.

Eu tinha muita vontade de começar a tratar meus pacientes com este conhecimento mais profundo da nutrição, mas teria que transformar total e radicalmente minha forma de atendimento, e realmente não sabia por onde começar, até que Deus se encarregou disso.

Lembro-me como se fosse hoje, Roque me avisando que iria me procurar um paciente dele que precisava emagrecer e controlar a alimentação por causa dos níveis de colesterol, que também estavam altos.

Quando esse paciente entrou em meu consultório, um sinal me chamou a atenção. Como ele estava usando uma camisa de mangas curtas, pude ver imediatamente a intensa psoríase em seus cotovelos!

Para explicar de forma simplificada, psoríase é uma inflamação de pele benigna, mas extremamente desagradável, pelo constrangimento social que causa a seus portadores, em virtude da aparência.

Esse paciente jamais imaginaria que no curto espaço entre a porta de meu consultório e a cadeira onde se sentou tantas coisas haviam passado por minha cabeça. Eu sabia que, se utilizasse os conhecimentos adquiridos com a Nutrição Clínica Funcional, poderia tratar não apenas do emagrecimento dele, mas também conseguiria fazer a diferença em sua psoríase.

Foi assim, a partir deste paciente, que mudei meu protocolo, pois sabia que não poderia deixá-lo sair de meu consultório sem tratá-lo também em relação a sua psoríase, já que eu tinha conhecimentos para fazê-lo.

Quando voltou ao consultório, a primeira coisa que ele fez foi mostrar seus cotovelos e pude constatar, para minha alegria, quanto tinham melhorado.

A partir de então, mudei radicalmente meu protocolo nutricional, não sem antes colocar os procedimentos em prática com minha família, pois, se não conseguimos mudar os hábitos em nossa própria casa, como vamos pretender fazê-lo na casa dos outros?

Mas, afinal, o que é a nutrição clínica funcional?

A nutrição clínica funcional é, como já disse, uma ciência baseada exclusivamente em pesquisas e evidências científicas. É ciência e tecnologia de um lado, humanismo de outro.

Ser nutricionista clínica funcional é procurar entender as causas dos problemas do paciente que nos procura. É conhecer sua história de vida, se possível, desde o ventre materno.

Ela tem alguns princípios básicos, como a individualidade bioquímica do paciente: todo o tratamento é centrado nele.

É necessário compreender a relação entre nutrição e a expressão gênica do paciente (nutrigenômica), e como ele expressa essa herança genética no meio em que vive, pois essas respostas são diferentes em cada indivíduo.

Há, por exemplo, estudos sobre gêmeos idênticos que foram adotados e criados separados. A influência do meio ambiente em que viveram teve diferentes ressonâncias na resposta genética de cada um.

É preciso verificar o equilíbrio nutricional do paciente e a biodisponibilidade dos nutrientes, e mais uma vez o meio ambiente interfere de forma individual.

Na nutrição clínica funcional, observa-se a saúde do paciente como um todo, seus desequilíbrios estruturais e hormonais, como está o estresse oxidativo, sua ecologia gastrintestinal (próximo capítulo); procura-se trabalhar a destoxificação de seu organismo, suas alterações imunológicas e a interação corpo–mente. A ciência mostra que aquilo que pensamos interfere na produção química de nosso corpo.

Por restabelecer a saúde como um todo, eu costumo dizer que "atiramos onde vemos e acertamos também no que não vemos". Leia o *e-mail* que esta paciente me enviou e concordou em partilhar conosco:

Desde os 14 anos tive que controlar meu peso, pois a família de meu pai tem tendência a engordar, e várias pessoas já fizeram até cirurgia para redução de estômago.

Posso dizer que já fiz muitos tipos de dietas: dieta da sopa de cebola com repolho, dieta dos pontos, dieta de "South Beach", dieta da USP (que não é da USP), dieta do tipo sanguíneo, acupuntura, dietas também acompanhadas por médico ortomolecular e endocrinologista, e até dieta com acompanhamento de nutricionista.

Em todas essas dietas sempre consegui emagrecer uma média de três quilos, e isso sempre me fez voltar ao peso que eu considerava "normal". Além de tudo isso, também é preciso lembrar que nunca deixei de me exercitar; academia, natação e caminhadas sempre fizeram parte da minha vida.

Aos 27 anos, fui transferida para trabalhar nos Estados Unidos, onde morei sozinha e passava dez horas do meu dia na empresa. Voltei, depois de um ano e nove meses, com aproximadamente uns sete quilos a mais (acho que foi em torno disso, pois evitava me pesar).

De volta ao Brasil, começou a corrida para voltar ao meu peso normal. Fui a uma nutricionista na minha cidade, comecei a fazer caminhadas e em um ano emagreci zero quilo! Decepção e desânimo total.

Já fazia um ano que tinha voltado ao Brasil, retomado minha natação, mas nada de sucesso em relação ao meu peso.

No início de 2010, minha mãe viu uma entrevista com a doutora Gisela na televisão e ficou impressionada com as coisas que ela falou sobre o leite e que a obesidade era uma doença inflamatória.

Na mesma noite, ela me chamou e disse que achava que eu deveria ir me consultar com a doutora Gisela em São Paulo, pois pelo que ela tinha acabado de aprender eu poderia estar com as células inflamadas e talvez fosse por isso que eu não emagrecia.

Eu não acreditei muito e relutei para ir. Achava que a doutora não falaria nada diferente do que já tinha ouvido das outras nutricionistas pelas quais havia passado.

Depois de muita insistência por parte da minha mãe, tomei coragem e marcamos a consulta. Pensei... vou pagar para ver!

Fui à consulta e ouvi atentamente tudo o que a doutora Gisela tinha para me falar. Ela fez a anamnese mais detalhada que já vi e pediu que eu voltasse dali a uma semana com o meu diário preenchido e também com a minha mãe, afinal de contas era ela quem cozinhava em minha casa.

Durante a anamnese, alguns detalhes passaram despercebidos, como a minha candidíase[2], uma coisa que achei que nem seria importante contar, uma vez que, desde criança, minha mãe me levou a vários ginecologistas e nunca conseguimos eliminá-la. Sempre achei que isso iria me acompanhar para o resto da vida.

No retorno, a doutora explicou detalhadamente como deveria ser minha alimentação dali para a frente e disse que emagrecer seria o de menos, o mais importante seria tratar todos os meus sintomas, como dores de cabeça, sinusite, irritabilidade, e para tratar tudo isso e ainda emagrecer eu teria que mudar minha alimentação.

---

2   Candidíase é uma doença causada pelo fungo *Candida albicans*. Apesar de benigna, a candidíase assume particular importância clínica em infecções da mucosa vaginal.

Voltei para casa e começamos. Com a ajuda da minha mãe, consegui seguir 100% do protocolo feito pela doutora Gisela.

Logo nas primeiras três semanas, escrevi um *e-mail* para a doutora contando que eu estava conseguindo seguir o protocolo, que estava gostando da nova alimentação, já tinha conseguido emagrecer três quilos e, o que era o meu foco, emagrecer, realmente se tornara secundário em relação à melhora que tive em minha saúde.

Naquelas três semanas, minha candidíase, que tinha me acompanhado desde criança, havia melhorado 99%, algo inédito na minha vida. Para mim era difícil acreditar que três semanas de alimentação correta pudessem curar algo que os remédios nunca conseguiram.

Por fim, consegui não só emagrecer quanto desejava como também ganhei de "brinde" uma grande melhora na minha saúde. Passei o inverno sem gripe, sem sinusite, sem rinite e sem dores de cabeça.

Quando li este *e-mail*, mais uma vez tive certeza de quanto nosso organismo é perfeito! Dando as condições adequadas e retirando principalmente o que faz mal (e que na maioria das vezes não percebemos, pois, como já disse, é subclínico), nosso corpo restaura seu equilíbrio.

Para você ter uma ideia da forma como nosso corpo corresponde quando damos a ele nutrientes adequados e retiramos aquilo que não lhe faz bem, gostaria de acrescentar e partilhar mais este testemunho que recebi de uma conhecida.

Tenho algo bem interessante para contar: meus pais compraram este livro, e mamãe ficou impressionada com tudo o que leu. Ela tem enxaqueca, colite, sinusite e nevralgia.

Especialmente com a nevralgia, ela sofre muito nos dias mais frios. Diz que sente essa dor desde os 28 anos e isso nunca se resolveu. Os médicos sempre lhe disseram que era genético.

Pois bem, ela retirou (em segredo, pois não falou nada nem para mim, nem para o papai, de início) o leite e o glúten da alimentação. E isso já faz algumas semanas. Desde então, não tem sentido mais nada! Papai é meio cético nesse sentido e acha que pode ser autossugestão.

Neste final de semana, ela nos contou, muito emocionada, sua "boa travessura". Disse que, especialmente nos dias frios, ela sempre sofria muito com a nevralgia! E agora parece outra pessoa...

O intestino dela também está normal. Ela não sente mais dores, nem tem tido enxaqueca.

Sobre a nevralgia, como você não a trata especificamente neste livro, achei interessante relatar a melhora de mamãe, pois acredito que tem a ver com a alimentação.

Depois disso, mamãe passou a rezar por você, para que Deus a ilumine, pois você foi um grande canal de Deus para ela!

Um beijinho carinhoso

Não é novidade o paciente retornar relatando algo que também melhorou e que tinha esquecido de contar, pois achava que era "normal".

Quando o paciente vem para a segunda consulta, repasso todo o questionário de sinais e sintomas e peço a ele que volte a dar notas. Nesse momento, ele toma consciência de como estava mal no dia da consulta e do tanto que melhorou.

Não é raro eu perguntar de alguma dor, articular por exemplo, e o paciente me olhar com espanto e responder:

— Nossa, doutora, sabe que passou! Tinha até esquecido dela...

Outro caso interessante ocorreu quando eu estava em Várzea Grande (MS), no Seminário Arquidiocesano de Cuiabá (Instituto Cristo Rei), a convite do padre Paulo Ricardo, que era o reitor naquela época, para fazer um trabalho de reeducação nutricional para os seminaristas, segundo a visão da nutrição funcional.

Conversando comigo, padre Paulo Ricardo contou o que estava acontecendo com um jovem seminarista que tinha encontrado fazia alguns dias e perguntou se poderia atendê-lo.

Era um jovem de 27 anos que tinha um diagnóstico de fribromialgia[3]. Eis o *e-mail* que recebi depois de um mês:

---

3 Fibromialgia é uma síndrome que se manifesta com dor no corpo todo, principalmente na musculatura, associando sintomas de fadiga e sono não restaurador. É uma síndrome, pois é caracterizada por um grupo de sintomas sem que seja identificada uma causa única para eles.

Doutora Gisela,

Até o presente momento fiz o tratamento certinho: com a reeducação alimentar e os suplementos.

O tratamento tem sido ótimo. Desde quando comecei, senti-me muito melhor, 90% dos sintomas desapareceram, e olha que eram muitos.

Por causa da fibromialgia, sentia muitas dores pelo corpo, especialmente na região lombar e nas pernas. Estas dores, às vezes, eram focalizadas em um ou mais locais, mas, às vezes, pareciam percorrer o corpo todo. Minhas costas e minhas pernas formigavam muito e eu me sentia muito inquieto. Minhas mãos inchavam, passava muitas noites em claro com insônia, o que acarretava mais dores no dia seguinte. Sofria ainda com o problema do cólon irritado. Pela manhã a região do estômago e dos intestinos ficava muito dolorida. Sentia ainda um cansaço e uma fadiga muito grandes. Minha memória não estava funcionando bem, esquecia as palavras, e a própria articulação vocal estava bastante prejudicada.

Quando fiz a lista de sintomas para ir ao médico, até me assustei com tanto coisa que sentia. O tratamento que comecei com esse médico era à base de antidepressivos, tomei-os por quatro meses, com uma melhora no começo do tratamento (nos primeiros quinze dias); depois os sintomas voltaram; ele trocou o medicamento e o resultado foi o mesmo.

Mas o fato é que depois que comecei o tratamento com a senhora ainda não precisei voltar ao neurologista, pois o suplemento me fez muito bem.

Estou dormindo bem e me sinto muito bem-disposto. Sinto apenas os meus nervos ainda um pouco rígidos (especialmente pela manhã), mas bem menos do que estavam antes.

Estou muito agradecido a Deus por ter colocado a senhora e o padre Paulo em minha vida, tenho rezado muito por vocês. Vocês estão sendo instrumentos de Deus para mim, *pois já estava sem muita esperança de melhoras a curto prazo.* Acho que nem conseguiria continuar no Seminário este ano se não fosse pela ajuda de vocês. MUITO OBRIGADO.

Recebi também outro testemunho muito interessante. A formadora de uma comunidade católica me escreveu relatando sua melhora e dos discípulos dessa comunidade, particularmente a de uma missionária, após a mudança na alimentação.

Olá, Dra. Gisela.

Quero testemunhar uma coisa muito boa que aconteceu aqui em nossa casa de formação.

Os discípulos sempre me viam tomar o suco e fazer a reeducação alimentar. Então, algumas meninas se aproximaram e pediram para fazê-la também. Hoje, até alguns rapazes já iniciaram a reeducação alimentar.

Confesso que, a princípio, fiquei preocupada, porque, é claro, não estão sendo monitorados, nem acompanhados e não preencheram todas as questões que você me passou no início. Contudo, os resultados são surpreendentes. Tanto que quis enviar-lhe o testemunho a respeito de uma das moças.

Ela vivia aqui na casa um pouco afastada de todos, silenciosa, cabisbaixa. Tudo muito comum no início, quando ainda estão se conhecendo. Entretanto, vale lembrar que ela está há mais de um ano com as mesmas pessoas. Resolveu também fazer a reeducação. Depois dos 21 dias iniciais, procurou-me para partilhar o resultado.

Disse-me que a reeducação alimentar fez que ela se disciplinasse. Também melhorou sua espiritualidade, seu sono, sua disposição nos trabalhos, seu humor. Sente-se mais alegre, mais descontraída, mais orante e bem mais feliz consigo mesma. Ela perdeu 6 quilos e sua autoestima cresceu. Hoje, ela se arruma, se veste melhor, está sempre alegre na casa e é discreta. Essa mudança tão visível foi notada também pela psicóloga que veio à casa para entrevistar os discípulos e traçar um mapeamento de perfil.

A psicóloga esteve aqui antes de essa moça começar a reeducação. Um mês depois, voltou para fazer a devolutiva e disse: "Essa moça é totalmente outra pessoa, mudou não apenas fisicamente, mas em tudo: a positividade, a alegria, a disposição. Tornou-se mais sociável, mais envolvida, atenta etc. Realmente, todos que a veem tecem comentários admiráveis.

Outras moças e rapazes também estão fazendo a reeducação e é possível notar a melhora de cada um deles. Tudo de maneira bem tranquila. Por aqui, somos até chamados, de forma divertida, de "a turma dos NÃO GLÚTEN".

Uma das moças, que sempre tomou remédio para regular o intestino, hoje não faz mais uso de medicamentos e disse que seu intestino funciona muito bem. Ela costuma dizer: "Só por isso, já estou feliz".

Quando recebo esse tipo de *e-mail* fico muito feliz, pois vejo a mão de Deus em tudo isso. Ver meus pacientes bem faz valer a pena as horas incontáveis de estudo e pesquisa que me fazem ficar longe do meu amado marido, que, como você deve ter lido na dedicatória, é o grande incentivador para que eu seja cada vez melhor, não do que o outro, mas para o outro.

INTESTINO:
NOSSO SEGUNDO CÉREBRO

Dediquei um capítulo exclusivo ao intestino porque para mim ele é um órgão-chave.

A mucosa intestinal serve de "barreira" entre o interior do nosso corpo e perigosos agentes provenientes do meio ambiente através da alimentação, como bactérias e até alimentos mal digeridos.

Quando essa barreira não está em ordem (como acontece com a maioria das pessoas), permite a passagem de grandes moléculas, as chamadas macromoléculas, que, ao entrar na corrente sanguínea e dependendo dos gatilhos genéticos de cada um, podem iniciar problemas na saúde. A isso chamamos hipersensibilidade alimentar.

Localizado no intestino, está o chamado segundo cérebro, que trabalha em sintonia com o cérebro propriamente dito (que se localiza na cabeça).

Seu papel em nosso organismo é muito maior do que se pode imaginar, e devemos vê-lo não apenas como um grande órgão excretor.

O intestino é o único órgão capaz de mediar reflexos na total ausência de informações do cérebro ou da medula espinhal, pois tem um sistema nervoso próprio, chamado de entérico.

Temos mais de cem milhões de células nervosas no intestino delgado, o que representa quase o mesmo número de células nervosas da medula espinhal.

Os mesmos neurotransmissores que encontramos no cérebro encontramos no intestino.

É nele que ocorre a maior parte da digestão dos alimentos, e por isso há presença de vários tipos de enzimas.

Vinte por cento de nossas células do intestino não são células intestinais (enterócitos), mas células do sistema imune (linfócitos). Sessenta por cento dos anticorpos (as imunoglobulinas) são produzidos no intestino.

Além disso, temos uma população de bactérias nele, e eu costumo dizer que dela depende nossa saúde ou nossa doença.

Sabia que entre um quilo e meio a dois quilos de seu peso são bactérias intestinais? Que em termos de quantidade temos dez vezes mais bactérias intestinais do que células no corpo?

Eu brinco, mas é a pura verdade. Temos uma "Faixa de Gaza" em nossa barriga. Da mesma forma que o bem e o mal lutam aqui fora, eles lutam e competem por espaço em nosso intestino também.

Para explicar melhor esse "universo em pé de guerra" vou transcrever o texto que o biólogo Bruno Zylbergeld escreveu para meu capítulo de nutrição no livro do doutor Roque chamado *Um coração saudável* (2010).

Imaginem 400 m² habitados por mais de 2.000 colônias completamente distintas, formadas por incontáveis indivíduos vivendo diariamente em pé de guerra. Essa é a vida "nada fácil" dentro de nosso universo intestinal. Manter a paz em uma região como essa seria praticamente impossível, mas, com uma forcinha de nosso sistema imunológico e principalmente de nossa alimentação, essa paz se torna uma realidade diária.

Estamos falando de nossa microbiota intestinal, formada por mais de 2.000 espécies de bactérias diferentes, fungos, protozoários e vírus que vivem harmonicamente dentro de um organismo saudável.

Já dá para imaginar o que aconteceria se esse equilíbrio fosse interrompido. Na verdade, isso acontece muito comumente, transformando nosso universo intestinal em uma grande zona de guerra onde o maior prejudicado é o próprio organismo.

Para explicar melhor como funciona essa zona latente, primeiramente devemos esclarecer quem são os mocinhos e os bandidos dentro dessa batalha.

O "exército dos mocinhos" é composto principalmente de bactérias que promovem resultados benéficos para a região que habitam, como aquelas responsáveis por sintetizar substâncias úteis para elas, para outras bactérias benéficas e para o organismo. Essas substâncias podem ser vitaminas (vitaminas K, B-12, entre outras), enzimas que auxiliam o processo digestivo e promovem o crescimento de outras bactérias benéficas e substâncias antibióticas, como peróxido de hidrogênio (água oxigenada), que degradam e impedem o desenvolvimento de organismos oportunistas.

São recrutadas para esse exército bactérias dos gêneros *Eschericchia*, *Enterococcus*, *Bifidobactéria*, *Bacteroides* e finalmente as mais famosas desse grupo, os *Lactobacillus*. Cada um desses gêneros habita uma região específica de nosso intestino e necessita de recursos completamente diferentes.

A maior população pertence ao gênero das bifidobactérias, sendo essas as primeiras a colonizar nosso intestino, aproximadamente 22 horas depois do nascimento. Junto com os bacteroides, são responsáveis pela ocupação de regiões estratégicas, que de outra forma seriam ocupadas por organismos invasivos.

As *eschericchias* e os *enterococcus* são responsáveis pelo estímulo imunológico benéfico, promovendo a formação de armas (IgA) capazes de destruir e eliminar grupos invasores. Já os *lactobacillus* são peritos na produção de peróxido de hidrogênio, que, de uma forma bem simplista, é capaz de "torrar" algumas bactérias estimulando seu metabolismo. Esses, junto com outras bactérias benéficas, normalmente são adquiridos quando o recém-nascido atravessa o canal vaginal materno.

E o "exército do mal", por quem é formado?

Ele é formado por todos os organismos que de uma forma ou de outra são capazes de prejudicar o nosso organismo, como: produção de substâncias tóxicas para a manutenção da saúde e da integridade intestinal ou das colônias dos mocinhos[1]. Esses malfeitores são as bactérias proteolí-ticas, como as dos gêneros *Proteus*, KESC, *Pseudomonas*, *Clostridium*, entre outras, bolores e leveduras (fungos), como os dos gêneros *Candida* e *Aspergillus*, e protozoários, como amebas e giárdias.

Certo, agora que já foram estabelecidos os dois lados do conflito, onde nós entramos nessa história? Ora, meu caro leitor, é claro que do lado dos mocinhos! E como podemos ajudá-los? Nós também possuímos armas contra o "exército do mal". Primeiramente, a maior de todas elas, temos cérebro! Mas só ele não basta. Precisamos de boa vontade e dedicação para servir ao "exército dos mocinhos".

Então, como podemos ajudá-los?

A principal fonte de ajuda vem diretamente de nossa alimentação, que funciona como fonte de suprimento para as tropas dos mocinhos, permitindo o crescimento efetivo do número de indivíduos, que, dessa forma, reduz automaticamente a estabilidade dos "caras do mal".

Da mesma forma que uma alimentação adequada auxilia as boas bactérias, uma alimentação incorreta, rica em produtos industrializados e com excesso proteico facilita o estabelecimento de indivíduos oportunistas (os caras do mal).

Algumas vezes, apenas a alimentação não basta para fortalecer as boas bactérias, os mocinhos; neste caso, sempre é recomendado o uso de outros artifícios, como suplementação com vitaminas, enzimas e outros produtos promo-

---

1   Produtos que prejudicam nossas bactérias "do bem" que aqui chamamos de "mocinhos".

tores da saúde intestinal, que são classificados como "pré-bióticos". Esses só são úteis quando o "exército dos mocinhos" ainda possui alguns indivíduos vivos ou viáveis que estão aptos a se multiplicar formando um novo exército novamente.

Quando ocorre a perda parcial ou total de determinados grupos bacterianos do bem, a ponto de impedir uma recolonização, ainda existe uma saída. Há como reforçar as tropas dos mocinhos com novos indivíduos viáveis (pró-bióticos), que, associados aos pré-bióticos e a uma boa alimentação, se tornam uma arma praticamente imbatível contra os organismos oportunistas e patogênicos.

Vale ressaltar que nossos intestinos possuem respostas autônomas quando atacados por organismos patogênicos ou quando apresentam qualquer tipo de lesão, como ulcerações, colites, irritabilidade, intolerâncias e infecções. Essas respostas determinam a liberação de substâncias que provocam um verdadeiro massacre em todos os grupos bacterianos, do bem ou do mal, exigindo um tratamento prévio da saúde intestinal antes de uma reposição bacteriana efetiva.

Lembrem-se de que a nossa ajuda é a principal arma contra o "exército do mal".

Para esse desequilíbrio da nossa microbiota é dado o nome de disbiose intestinal.

Agora pare e pense! Depois de tudo que você leu, como acha que se encontra a saúde intestinal da grande maioria das pessoas com a alimentação que temos hoje, pobre em nutrientes, muitas vezes contaminada pelas toxinas ambientais, associada ao estresse, que prejudica ainda mais a digestão desses alimentos. A maioria das pessoas está desnutrida e inflamada!

Toda essa situação nos leva a desenvolver a chamada alteração da permeabilidade intestinal, levando-nos a desenvolver hipersensibilidade alimentar.

Traduzindo, significa que toxinas e macromoléculas (alimentos mal digeridos) atravessam a barreira intestinal, caindo na circulação sanguínea e prejudicando nossa saúde, de acordo com a fragilidade genética de cada um.

Isso provoca uma "alergia escondida", pois mobiliza nosso sistema de defesa e não se manifesta na hora em que comemos o alimento, mas sim três a quatro dias depois.

As proteínas de certos alimentos são de difícil digestão, e quando estamos estressados há uma deficiência na produção do ácido clorídrico no estômago, dificultando a quebra dessas proteínas, que se não são adequadamente digeridas no estômago vão inteiras para o nosso intestino. De lá, para atravessar a parede intestinal e cair na corrente sanguínea é apenas um passo.

O intestino é uma grande porta de entrada para o seu corpo. Quando ele está saudável, os nutrientes entram para nosso corpo através da mucosa intestinal e então são transportados para nossas células.

A mucosa é formada por células que revestem as cavidades úmidas do nosso corpo. Eu costumo brincar no consultório dizendo que essa mucosa é como se fosse um carpete que reveste internamente o tubo que represento como nosso intestino.

Quando o intestino não está saudável, em vez de uma porta de entrada temos um portão, e por ele atravessa tudo o que não deveria. É como na sua casa. Se você deixar a porta escancarada vai entrar quem você não quer, certo?

Todas as células de nosso corpo têm a capacidade de eliminar toxinas, mas existem dois órgãos que são mais importantes nessa função: o fígado e, é claro, o intestino.

Talvez você já soubesse de tudo isso, mas aposto que não tinha ideia de que seu intestino também é responsável por seu comportamento alimentar.

Essa descoberta foi feita em consequência da busca incessante por novas estratégias para o combate da obesidade, que como você já sabe é a mãe-hospedeira de inúmeras outras doenças.

Você já sabe que seu intestino tem um sistema nervoso próprio, o sistema nervoso entérico, e ele se comunica com seu cérebro e com as células da mucosa do trato gastrintestinal (as células que revestem todas as cavidades úmidas de nosso organismo).

Dependendo do que você come, sinais químicos são enviados de seu intestino para seu cérebro dando o comando de saciedade. Outro mecanismo de saciedade é a distensão gástrica, ou seja, o aumento do volume do estômago.

Outra novidade nessa área é que um desequilíbrio da microbiota intestinal pode contribuir para um ganho extra de energia, contribuindo dessa forma (negativamente, claro) para a obesidade.

Acontece que nosso intestino, quando visto microscopicamente, realmente se parece com um carpete, como eu disse. Olhando de longe parece liso, mas quando chegamos bem perto percebemos que ele é todo formado por "pelos". Esses "pelos" do carpete são as nossas vilosidades intestinais, que servem para aumentar a área de absorção.

E o que é de admirar é que em volta de cada uma dessas vilosidades há uma célula ao lado da outra, imitando uma barreira, que é seletiva para proteger e não deixar que entre qualquer coisa cuja ponta tenha o que se chama de microvilosidades.

Resumindo, se esticarmos todas essas células de nosso intestino, estaremos diante de uma área comparável ao tamanho de uma quadra de tênis. Impressionante, não? Agora até é possível entender como cabem tantas bactérias.

Com o advento do Projeto Genoma, conseguiram analisar o material genético para uma minuciosa identificação dessa microbiota.

Verificou-se que a grande maioria da espécie bacteriana da microbiota intestinal é dominada por duas divisões: os *firmicutes* (64%) e os *bacteroidetes* (23%).

Agora é que vem a novidade: evidências científicas iniciadas com uma publicação pela renomada revista *Nature*, em 2006, mostraram que o desequilíbrio na composição da microbiota não é apenas associado a uma maior suscetibilidade a infecções e desordens imunológicas, mas também ao desenvolvimento de resistência à insulina e à obesidade!

Isso é consequência do desequilíbrio entre essas comunidades bacterianas, que podem predispor à obesidade por terem a capacidade de extrair mais energia a partir do consumo alimentar.

Lembra de quando mencionei o paciente que diz que para ele parece que uma folha de alface engorda? Não deixa de ter um fundo de verdade.

Com essa descoberta, iniciou-se uma nova linha de pesquisas, primeiro em ratos e depois em seres humanos, e descobriram que os obesos tinham 50% a menos de *bacteroidetes* e um aumento de 50% de *firmicutes*.

Mesmo quando os ratinhos ingeriam a mesma quantidade de calorias, as fezes dos ratinhos obesos tinham menos calorias, confirmando assim que o mecanismo de extração de energia dos ratinhos obesos era mais eficiente.

Outro dado interessante é que transferiram essa microbiota intestinal dos ratinhos obesos para ratinhos magros com intestino estéril. Adivinha o que aconteceu? Os ratinhos magros aumentaram a gordura corporal em 60% em apenas catorze dias, apesar de receberem uma ração menos calórica que o grupo que serviu de referência.

A partir desse experimento, verificou-se que a microbiota intestinal influencia a capacidade de obter energia a partir dos alimentos, e essa energia "extra" é armazenada na forma de gordura nos adipócitos (nossas células de gordura).

Você deve estar falando:

— Mas isso foi em ratos de laboratório... E em seres humanos?

Nos estudos realizados com humanos, também se confirmou esse desequilíbrio entre os *firmicutes* e os *bacteroidetes*, isto é, os obesos tinham mais do primeiro grupo, os *firmicutes*.

Acredita-se que essa maior predisposição ao desenvolvimento da obesidade (consequência do desequilíbrio entre *firmicutes* e *bacteroidetes*) esteja relacionada à composição da microbiota intestinal da criança ao nascer.

Fizeram um estudo analisando a microbiota de crianças recém-nascidas, durante alguns períodos de sua infância e por último aos 7 anos de idade.

Verificou-se que crianças que desde o nascimento tinham uma boa aquisição das primeiras bactérias intestinais (bifidobactérias) conseguiram manter seu peso dentro dos padrões de normalidade quando comparadas às crianças que desenvolveram sobrepeso.

Hoje essa primeira colonização é um dos focos de atenção, por ser considerada extremamente importante para "treinar" o sistema imunológico da criança.

Apesar de ainda estar sendo estudada, existem evidências de que ela é formada e estabilizada no primeiro ano de vida e sofre interferência de diversos fatores, inclusive o tipo de parto.

O feto é estéril no útero materno e é colonizado, primeiramente, por microrganismos a partir de sua passagem pelo canal de parto, pelo ambiente e principalmente pelo leite materno.

Por isso, a microbiota de cada criança é altamente diferenciada, pois depende das primeiras exposições que teve ao nascer. Veja a importância da individualidade de cada paciente.

Neste contexto, foi feito um estudo que comparou gestantes com peso adequado e gestantes obesas. As obesas tinham uma microbiota intestinal desequilibrada que estava associada a processos inflamatórios e maior facilidade para estoque de gordura.

Esse estudo concluiu que o desenvolvimento de uma microbiota intestinal desequilibrada pode ter efeitos deletérios para a saúde do bebê, inclusive em relação ao desenvolvimento de obesidade no futuro, visto que a microbiota materna será o primeiro contato com bactérias do recém-nascido.

Agora você entendeu por que eu tinha visto como um problema o fato de meu paciente, o senhor José Maria, ter nascido de cesariana? Além de ele não ter tido contato com a microbiota materna, seu primeiro contato foi com as bactérias hospitalares (como as do ar, do equipamento e da equipe médica).

A influência do tipo de parto é depois reforçada pelo aleitamento materno, em razão da presença de diversas substâncias importantes no leite, que irão garantir um bom aporte na colonização e na maturação da mucosa intestinal da criança.

Uma meta-análise recente concluiu que ser amamentado está associado a uma redução de até 22% no desenvolvimento de sobrepeso e obesidade na infância. Isso é inversamente proporcional em relação à duração da amamentação, o que sugere que as bifidobactérias constituem um elo entre o aleitamento materno e o desenvolvimento do peso.

O aleitamento materno deve ser exclusivo até os 6 meses, e o senhor José Maria foi amamentado apenas 3 meses; em seguida sua avó entrou com leite de vaca pasteurizado, tipo B.

Atualmente, verificou-se também que após o desmame, e com a introdução de alimentos sólidos na dieta das crianças (entre 1 e 2 anos de idade), sua microbiota vai ficando mais parecida com a do adulto, em consequência de uma dieta rica em carboidratos e pobre em gorduras, como na composição do leite materno.

Essas mudanças de composição da microbiota das crianças está atualmente relacionada ao início da obesidade mais tarde, na vida adulta.

O uso de medicamentos, principalmente antibióticos, altera rapidamente a estrutura microbiológica do intestino. Mais um agravante para o senhor José Maria.

Tudo isso mostra quanto a obesidade deve ser vista e tratada de modo abrangente, e que cada indivíduo é único e precisa de uma atenção especial no desenvolvimento de uma estratégia para alcançar o tão esperado emagrecimento.

ALÉRGENOS ALIMENTARES E INFLAMAÇÃO

Segue abaixo a lista dos alimentos que costumo tirar da alimentação de meus pacientes num primeiro momento. Dependendo dos sinais e sintomas, eles podem chegar a dois meses de abstinência.

Após esse período, vou reintroduzindo um alimento por vez, tomando bastante cuidado: o paciente deve aguardar três dias para me informar se teve alguma alteração em seu estado habitual. Caso tenha, aguardamos mais dois meses para tentar reintroduzir o alimento em questão.

Leite de vaca e derivados

De todos os alimentos, o leite de vaca e seus derivados são os mais polêmicos e os primeiros que coloco em minha lista, pois se existe um alimento que não tem lógica consumirmos depois de certa idade é o leite, e ainda por cima de vaca!

Quando meu paciente retorna, uma semana depois da consulta, com seu "Recordatório alimentar" preenchido, fico impressionada em constatar, sempre, que um dos produtos mais presentes no hábito alimentar, não apenas dele, mas de todo ocidental, é o leite de vaca (e seus derivados).

Normalmente, está presente em todas as suas refeições: no café da manhã (desjejum), no famoso café com leite. No lanche da manhã, num iogurte. No almoço, aparece na forma de queijo na lasanha ou ralado no macarrão, ou ainda como molho branco, que leva leite e queijo na preparação. À tarde, em qualquer lugar deste Brasil, aparece o pão de queijo, e, à noite, novamente, em razão de todos estarem trocando refeições por lanches.

A aceitação do leite como alimento completo existe desde a nossa primeira refeição, quando recebemos o leite de nossa mãe. Mas não podemos perder o foco: cada espécie tem o leite que corresponde ao desenvolvimento de sua espécie.

Eu sempre pergunto:

— Qual é o único mamífero que continua a mamar depois de ter dentes? E ainda por cima leite de outra espécie?

Aí o pessoal que defende o uso do leite responde:

— Mas o homem é o único mamífero que pilota avião.

E eu respondo:

— Sim, pilota avião para jogar bomba nos seus irmãos! Isso quando ele próprio não se faz de homem-bomba!

O leite materno é o alimento mais perfeito que existe no mundo. Sua composição é específica e sutilmente modificada de acordo com a necessidade do lactente, e em todos os mamíferos, os nutrientes e, em especial, as proteínas do leite produzido são para estimular o melhor crescimento e desenvolvimento orgânico e funcional da própria espécie.

Nós, seres humanos, não temos enzimas eficientes para digerir todas as proteínas do leite de vaca, em especial uma chamada betalactoglobulina, pois o leite materno não a possui. Ela é específica para o bezerro.

É importante analisarmos os nutrientes que constituem o leite materno e o leite de vaca para entendermos alguns paradoxos que existem em relação ao leite de vaca.

As coisas que mais tornam o leite de vaca diferente do leite materno são a composição de proteínas e o desequilíbrio entre os minerais, e aqui está a grande chave do problema.

Muitas pessoas acham que tiro o leite da alimentação por causa da lactose, que é o açúcar do leite, pois existem muitas pessoas com intolerância a ela por falta de uma enzima chamada lactase.

Mas, para mim, o problema com o leite de vaca reside na proteína. Já foram identificadas mais de 25 frações proteicas alergênicas ao leite de vaca, e como são de difícil digestão vão parar no intestino na forma de macromoléculas, que acabam atravessando a parede intestinal e caindo na corrente sanguínea, o que favorece o surgimento de uma série de problemas, dependendo do gatilho genético de cada um.

Existe uma corrente que elege o leite de vaca como um alimento completo para a nutrição humana, principalmente pela presença do cálcio. Felizmente, já existem evidências clínicas e científicas que vão contra essa linha.

Incluí diversos trabalhos recentes que comprovam que o leite de vaca pode provocar inúmeras doenças, como câncer de mama e câncer de próstata.

O mais recente (2010), publicado em um jornal de pediatria internacional, é uma pesquisa realizada com homens e crianças que tomavam habitualmente leite.

Os autores constataram alta presença de hormônio feminino (estrogênio) no sangue e diminuição do hormônio masculino (testosterona). O artigo termina afirmando que a maturação sexual e a puberdade das crianças pode ser afetada se elas tomam leite de vaca.

Para ilustrar o que encontro em minha prática clínica apresento os relatos de duas pacientes:

Olá, sou casada há dez anos, tenho três maravilhosos e lindos filhos, o Paulo Estevão, de 7 anos, a Maria Teresa, de 4 anos, e o João Gabriel, de 1 ano e 5 meses.

Amamentei meu primeiro filho, Paulo, até 1 ano e três meses, e chegou o dia, que toda mãe vive, de introduzir outro leite. Eu introduzi o leite de vaca, pasteurizado, tipo B. Ele aceitou normalmente, no entanto, no mês seguinte, com 1 ano e 4 meses, ele teve pneumonia e ficou internado. A produção de catarro era muito comum e rápida; ele teve depois disso de dois em dois meses pneumonias seguidas. Acompanhadas de dermatite atópica grave na pele, nas dobras das nádegas, das pernas e dos braços. Muita coceira, e as feridas chegavam a sangrar.

Vivemos com ele verdadeiramente uma via-sacra, muitos antialérgicos, antibióticos. Até que o levamos numa alergista infantil, quando tinha 3 anos, e iniciamos um tratamento de vacina para imunizá-lo. Juntamente com muitas pomadas, corticoides etc.

No ano passado, meu marido procurou a doutora Gisela para reduzir o seu peso; por coincidência, eu fui na consulta junto com os meus filhos, ela viu o estado da pele do Paulo Estevão e nos orientou a fazer a mesma alimentação que o meu marido iria fazer, isto é, retirar nos primeiros vinte dias todo leite, seus derivados e o glúten. Isso aconteceu em agosto do ano passado.

Foi impressionante, a pele do Paulo melhorou como nunca, ele não teve mais nenhuma infecção. Neste um ano de reeducação nesta nova alimentação, não tomou antibiótico. Foi uma verdadeira revolução.

Eles tomam no café da manhã suco de fruta (natural), couve com abacaxi, couve com maçã, acerola com manga, laranja. Comem tapioca e ovo cozido. No almoço, arroz, feijão, carne e salada (brócolis, agrião, couve-flor, tomate, beterraba, alface) e muita, muita fruta. Como eles dizem a respeito da sobremesa, lá em casa o "doce está nas frutas" (melancia, manga, maçã). Esse é nosso cotidiano. É claro que de vez em quando eles comem uma bala, um chocolate, um refrigerante, mas é muito esporádico.

É inegável a qualidade de vida que ele ganhou, e também a Maria Teresa, neste um ano sem leite de vaca e seus derivados e sem o glúten. Quando olho para meu filho e não vejo aquelas feridas no seu corpo, não me arrependo e, muito pelo contrário, me certifico de que de fato tomamos a decisão correta para a vida deles. Agora em julho a pediatra deles pediu exame de sangue, um *check-up* geral, e ela ficou espantada com o resultado, está tudo certinho com eles.

O João Gabriel, nosso caçula, não teria a mesma experiência, certamente. Deixei de amamentá-lo em abril deste ano (2010), com 1 ano e 1 mês.

Para ser sincera, apesar de todas as maravilhas que estava vendo acontecer com o Paulo e com a Maria, quando me vi novamente diante do João, tirando o leite materno, eu me perguntei: e agora como vou fazer com ele?.

Fiquei insegura por causa da idade dele. Como vou deixá-lo sem leite? Parece uma coisa incutida na cabeça da gente. Fora a pressão das pessoas, me passava pela cabeça: e se ele tiver alguma doença por causa disso, e se não crescer, não se desenvolver?... Foi muito difícil permanecer na minha decisão.

Liguei para a doutora Gisela, que inclusive me colocou para falar por telefone com a doutora Denise Carreiro, numa das vezes em que ela a entrevistou no seu programa de rádio, o *Mais saúde*. A doutora Gisela queria, como ela mesmo disse, que eu ouvisse o mesmo "discurso" sobre o leite de vaca por outra nutricionista. Ela também me apoiou e me disse que poderia substituir pelo leite de quinua.

Assim fiz e segui a mesma alimentação dos outros dois, acrescentando somente a quinua.

Fui falar com a pediatra dele e ela não me apoiou, mas disse que eu é que devia decidir. Eu e meu marido resolvemos seguir em frente, pois o que vimos acontecer com o Paulo e com a Maria não deixou que nos levássemos por aquilo que é o senso comum.

E assim, o nosso João toma seu suco com tapioca, "pioca", como ele fala, se alimenta bem e de forma variada. Janta, come uma fruta e dorme a noite inteira. Para tirar a prova, agora em julho a pediatra pediu os exames para checarmos como ele estava, e para espanto dela o resultado foi ótimo. Tudo certo. O cálcio, que era a maior preocupação dela, estava normal. Ele até hoje não teve nenhum tipo de alergia; a pediatra achou melhor não introduzir nenhum leite e esperar até dezembro para vê-lo novamente, pois "ele está muito bem", disse ela.

É difícil tomar decisões como esta, sem dúvida, mas fiz a experiência, estou fazendo e ela funciona. É o caminho natural de se alimentar e de viver. É engraçado como as crianças têm facilidade para se adaptar. Quando vamos ao mercado eles mesmos dizem e perguntam: "Mãe, esse tem corante... tem glúten... não faz bem para nossa saúde...".

Estamos educando os nossos filhos para aquilo que faz bem, e eles também percebem que nem sempre é fácil tomar esse caminho, mas que é a decisão mais acertada.

Sem contar a qualidade de vida e o exercício de escolher aquilo que nos faz bem e não somente nos dá prazer, financeiramente também vale a pena, pois o dinheiro dos remédios — e quem tem um filho alérgico sabe bem do que estou falando, pois os preços são altíssimos — tem sido aplicado na compra de frutas e verduras. A feira lá em casa acontece duas vezes por semana, na terça e na sexta, pois a fruteira é o lugar mais frequentado da casa.

Escolhi dois testemunhos relacionados exatamente aos dois assuntos nevrálgicos deste tema: a não introdução do leite de vaca após o desmame; e o fato de que não se corre o risco de fraturas se não se toma leite de vaca nem se consomem seus derivados, como foi publicado numa revista norte-americana de osteoporose.

Meu testemunho é de poucas palavras, pois o sucesso de toda a ação está na execução com disciplina das regras. O meu sucesso portanto, no caso em questão, ocorreu pois:

— você é uma profissional que, por seu preparo e sua informação lógica, sabe transmitir confiança e segurança aos seus pacientes;

— eu executei e executo cegamente suas orientações;

— cabe ainda ressaltar os cuidados que você sempre teve em:

a. informar a importância de encontrar prazer em se alimentar, naturalmente mantendo as quantidades dentro dos limites do razoável;

b. informar locais sérios (restaurantes e lojas) para adquirir produtos saudáveis;

c. ter sempre lista com novos alimentos para alternar os menus;

d. simplificar a elaboração da dieta diária;

e. facilitar a aquisição dos componentes vitamínicos, sais minerais etc. como complemento da alimentação;

f. incentivar a enviar as auxiliares do lar a assistir palestras sobre higiene, conservação e critérios para acoplar nos menus alimentos não conflitantes. Enfim, você age como um profissional em odontologia que, antes de verificar o estado bucal, higieniza a boca e limpa os dentes para fazer a avaliação de forma global e profunda.

Grande Gisela, aproveito para informar que continuo a seguir religiosamente sua prescrição. Está autorizada a apresentar meus resultados em seu trabalho. Um abraço.

Como ela mesmo escreveu, ela seguiu e ainda segue religiosamente minhas orientações. Quando me procurou, esta paciente já tinha hábitos saudáveis e fazia atividade física todos os dias, o que incluía musculação três vezes por semana.

Veja os resultados da densitometria óssea dela depois de ficar trezentos dias sem tomar leite de vaca ou consumir queijo e seus derivados. Esse exame foi realizado no laboratório Fleury, um dos melhores de São Paulo. Eis o laudo:

Coluna lombar L1L4:	aumento de 12,9%
Fêmur proximal direito:	aumento de 7,1%
Fêmur total:	aumento de 7,1%
Fêmur proximal esquerdo:	aumento de 6,4%
Fêmur total:	aumento de 4,4%

Trigo

O trigo, assim como o centeio, a cevada e a aveia, contém uma proteína chamada glúten, que também é de difícil digestão, podendo ativar o sistema imune e causar várias reações que, dependendo do gatilho genético de cada um, irão manifestar-se em um órgão choque[1].

Você já fez cola com farinha de trigo? Então, aquela cola é o glúten, uma massa viscosa e elástica. Imagine isso no seu organismo.

É a fração proteica chamada gliadina a responsável pelas manifestações de sensibilidade ao glúten, que podem causar inúmeros problemas.

O mais conhecido é a doença celíaca, cujo portador não pode sequer "cheirar" o trigo. Para você ter uma ideia, se existe algum celíaco na casa, os alimentos que são comuns a todos devem ficar separados para ele. Se alguém pegar uma ponta de faca de manteiga, passar no pão e em seguida

---

1 "Órgão choque" é o nosso órgão de impacto, *locus minoris resistentiae*, o mais frágil, e isso difere de pessoa para pessoa.

se servir de manteiga novamente, já contaminou! A pessoa celíaca não poderá mais se servir dessa manteiga.

Eu costumo apresentar um *slide* de um *iceberg* quando faço palestras sobre o glúten, e digo que a pontinha que se vê são as pessoas portadoras de doença celíaca, e aquele monstro que você não vê, que está submerso, são as pessoas que têm sensibilidade ao glúten e não sabem disso.

Como já disse, os sintomas e sinais vão depender da individualidade e do gatilho genético de cada pessoa, mas os mais comuns são: distensão abdominal, gases, dores articulares e musculares, dores nos ossos (o que as pessoas costumam chamar de dor de crescimento), edema, inchaço, dores nas pernas, formigamento, TPM, problemas de tireoide por causa da elevação do anticorpo antiperoxidase, infecções urinárias de repetição, constipação alternada com diarreia. Aliás, no caso que relatei de psoríase, foi a retirada do glúten que ajudou na recuperação do paciente.

Como se tudo isso não bastasse, o glúten, assim como uma das proteínas do leite, a caseína, pode ser fermentado por fungos intestinais e más bactérias, formando gluteomorfinas e caseomorfinas que podem ocupar receptores cerebrais e ocasionar mudanças de comportamento que podem variar entre a euforia e depressão.

Esse tipo de alimento pode desencadear uma relação de dependência, e o paciente precisa comê-lo para se sentir melhor, o que leva ao desenvolvimento de vícios alimentares.

Leia a seguir o testemunho de uma paciente e veja a diferença que pode acontecer num tratamento quando retiramos esses alérgenos alimentares:

Tudo começou quando tive uma peritonite aguda e o médico disse que era uma cirurgia de emergência. Estava em Santa Catarina e fiquei apavorada. Pensei comigo: se ficar aqui não me salvo!

Embarcamos no primeiro voo para São Paulo, onde meu filho já se encontrava e havia tomado todas as providências. Do aeroporto, fui direto para a sala de cirurgia.

Roguei a Nosso Senhor e à virgem Maria que me protegessem em tudo o que iria viver.

A partir de então, foram dez anos de muitas hospitalizações, sofrimentos e outras cirurgias. Graças a Deus sempre havia um sacerdote para abençoar-me, levar a comunhão e nos momentos mais difíceis a unção dos enfermos.

As complicações tomaram conta do meu corpo. Eu tinha sondas no nariz, na boca, três vidros pendurados na barriga, sonda para urinar e mais soro com remédios.

Não imaginava o tamanho do problema com o qual teria que conviver por muito tempo.

E assim continuaram as cirurgias, foi útero, cálculos renais que fizeram meus rins pararem de funcionar, e como não tinha controle sobre o intestino fui perdendo peso: cheguei a 38 quilos.

Cheguei a fazer uma reconstrução do reto. Nesta cirurgia, as dores eram tão fortes que o médico colocou uma bombinha com anestésico na cabeceira da cama; quando a dor era forte demais, eu a acionava para chegar a medicação.

Até as amígdalas tive que tirar. Muitas vezes eu dizia: o corpo está se acabando, mas o espírito está forte.

Hoje tenho certeza de que este foi um tempo de Deus em que recebemos muitas graças, porque Seu olhar pousou sobre nós e derramou o seu amor em nossa família. Nesta fase, percebi que o Senhor Jesus tinha algo reservado para mim. Ele me queria bem perto Dele, e tudo eu aprendi a entregar-Lhe.

Recebi inúmeras orações de meus pais, irmãos, filhos e amigos.

Neste ano de 2010, assisti a uma palestra do doutor Roque e da doutora Gisela pela televisão. Quando terminou, estava decidida! Precisava fazer uma consulta com eles. Senti-me chamada por Deus.

Assim conheci este casal de "médicos de Deus", que restituíram minha saúde e minha dignidade como ser humano e deram-me mais Vida, porque desta consulta eu tive a cura de todo o meu sofrimento.

Depois da consulta com a doutora Gisela, assim que retirei da dieta o glúten, o leite e seus derivados, uma mudança nos sintomas aconteceu instantaneamente. Meu abdome, que sempre estava inchado, desinchou. As cólicas que sentia com a ingestão de qualquer alimento desapareceram. Toda esta parte digestiva ficou muito calma, dando a impressão de que uma luta no meu abdome havia acabado e tudo estava em paz.

As cólicas sempre desencadeavam uma diarreia intensa, que na maioria das vezes só eram solucionadas com internação, para reidratar e tomar antibióticos com o soro.

Durante todos esses dez anos, precisei tomar diariamente medicação para prender o intestino: Imosec sublingual importado e Questran (usado para baixar o colesterol, pois seu efeito colateral é prender o intestino).

Parecia que tinha algo que bloqueava meu aparelho digestivo; sem o glúten, o leite e seus derivados, foi como se abrisse uma passagem para os alimentos e para mais saúde. As fezes tomaram forma e também ficaram sem odor fétido.

Também não tinha apetite. Precisava fazer um grande esforço para comer qualquer alimento. Tudo isto mudou sem o glúten, o leite e seus derivados.

Da noite para o dia o meu apetite aumentou muitíssimo, comecei a comer muito em cada refeição e tive mais disposição para todos os tipos de atividades. Nem resfriados tive mais. Graças a Deus, vida nova!

Obrigada, meu senhor e meu Deus, por colocá-los em meu caminho.

Que Deus Nosso Senhor e a Virgem Mãe de Guadalupe os abençoe todos os dias de suas vidas! Com minha eterna gratidão.

Soja

É um alimento presente na cultura asiática há mais de 5 mil anos. Com tanto tempo de uso, essa população aprendeu a tirar maior e melhor proveito dessa leguminosa, e por isso a consomem apenas de duas maneiras: coagulada ou fermentada (*tofu, natô, missô, shoyu*).

Esse processo tem dois objetivos: facilitar a digestibilidade, visto que se trata de uma proteína de difícil digestão, e também retirar os fatores antinutricionais.

Infelizmente, nossa sociedade foi inundada de produtos à base de soja, pois a indústria alimentícia percebeu grande potencial nesse mercado.

O grande problema é que se trata de uma soja que não é fermentada nem coagulada, o que acaba causando problemas digestivos, pois a quebra inadequada dessa proteína a transforma em uma macromolécula proteica que ativa o sistema imunológico.

É muito comum associar sintomas de alergias tardias ao consumo de soja, principalmente quando o consumo é alto.

O que mais encontro são sintomas de dermatite, eczemas, gases, diarreia, dor de cabeça, inchaço, problemas de tireoide e até mesmo obesidade. Mas, como depende da individualidade de cada paciente, podem ocorrer otite, bronquite, agitação noturna etc.

Também é comum a substituição do leite materno ou do leite de vaca pelo leite de soja. Se num primeiro momento os bebês e as crianças aparentemente melhoram, novas manifestações alérgicas ocorrem entre vinte e trinta dias de uso, que é o tempo necessário para o organismo se sensibilizar.

Milho

Há muitas pessoas alérgicas à proteína do milho que não sabem disso. Essa conduta fazia parte de meu protocolo, e era o primeiro alimento que eu reintroduzia até participar de um *workshop* do ILSI Brasil (International Life Sciences Institute) sobre "Atualidade em Food Safety" (segurança alimentar) ocorrido em São Paulo, no dia 20 de maio de 2010.

Entre as palestras apresentadas, houve uma que alertava sobre as condições inadequadas de estocagem do nosso milho, o que levava a uma redução da qualidade sanitária, física e nutricional dos grãos e seus derivados, e a perdas do produto. Várias espécies desses fungos, em condições favoráveis, podem produzir metabólitos tóxicos, as micotoxinas, ocasionando problemas de saúde pública e animal. O principal fungo responsável é o *Aspergillus spp*, que produz uma micotoxina chamada fumonisina, que é considerada a aflatoxina do milho.

As micotoxinas são metabólitos secundários, sintetizados no final da fase exponencial de crescimento de alguns fungos. Alguns desses compostos desenvolvem atividade mutagênica, carcinogênica e teratogênica.

Traduzindo: essas micotoxinas são cancerígenas! E me contaram a seguinte história: havia uma incidência muito grande de câncer de esôfago no Rio Grande do Sul, e uma das suspeitas era o chimarrão, por causa da alta temperatura da água. Mas observou-se que nos pampas, tanto do lado argentino como do lado uruguaio, existia o mesmo hábito de tomar chimarrão e não era comum o câncer de esôfago. Verificou-se então que, como os gaúchos em sua maioria são descendentes de italianos, têm o hábito de consumir polenta no café da manhã, no almoço e no jantar. E sabe qual tipo de câncer se desenvolve com a micotoxina do milho? Câncer de esôfago!

Depois desse dia, cortei o milho da dieta dos pacientes, a não ser que se conheça a procedência.

Cítricos

Frutas cítricas são aquelas da família da laranja, como limão, tangerina, lima, toranja e cidras. São confundidas com as frutas ácidas ou fontes de vitamina C. Os cítricos possuem uma substância chamada octopamina que é vasodilatadora e pode favorecer dores de cabeça.

Os sintomas mais frequentes em pessoas com sensibilidade aos cítricos são enxaqueca, sinusite, rinite, infecções urinárias de repetição, problemas renais, labirintite, gastrite, e também há pessoas que apresentam problemas dermatológicos.

Frutos do mar

Apesar de seu alto valor nutricional e de serem fonte de ácidos graxos essenciais, esses alimentos têm proteínas de alto potencial alergênico e, por terem muita gordura em sua

composição, são excelentes fontes de contaminação por toxinas ambientais. As ostras, por exemplo, chegam a filtrar
cinco litros de água por hora. Esses alimentos não devem
ser introduzidos antes de 1 ano de idade, e caso um dos
pais seja alérgico não devem fornecer esse alimento para a
criança antes que ela complete 2 anos.

Oleaginosas

Oleaginosas são alimentos riquíssimos em nutrientes. Fazem
parte deste grupo a amêndoa, a avelã, a castanha de caju,
a castanha-do-pará, a noz, o pistache, a macadâmia, entre
outras. São excelentes fontes de ácidos graxos essenciais,
proteínas, vitaminas e minerais, porém também são de difícil digestão e podem desencadear processos alérgicos.

Os sintomas mais comuns são problemas gastrintestinais, dores de cabeça, inchaço, problemas dermatológicos;
por conterem uma quantidade expressiva de fungos, devem
ser evitadas pelos pacientes com candidíase ou que apresentem língua com aquele "tapete" branco.

Como as oleaginosas são ricas num aminoácido chamado arginina, pessoas que têm herpes devem evitá-las.

Caso não haja sintomas de alergia a esses alimentos,
peço a meu paciente que evite consumi-los com frequência
e que faça sempre um rodízio entre eles.

Como a maioria das pessoas encara o amendoim como
uma oleaginosa, vou aproveitar este item para falar sobre ele.
A proteína do amendoim é altamente alergênica e muitas

vezes está associada a diversas manifestações como problemas dermatológicos e gastrointestinais.

Mas o que mais me preocupa no amendoim são as reações adversas provocadas pela presença de fungos que se
multiplicam enormemente em consequência da estocagem
inadequada. Para crescer, o fungo produz uma substância
chamada aflatoxina, que é altamente prejudicial a nossa
saúde e, se ingerida por muito tempo seguido, pode levar
ao surgimento de câncer no fígado.

Portanto, mesmo que você não tenha alergia ao amendoim, evite seu consumo frequente.

Frutas secas

Não entendo o motivo pelo qual as pessoas gostam tanto dessas pequenas bombas de calorias. Mas eu pergunto:
onde se come esse tipo de alimento? Nos países onde não
existe a menor possibilidade de frutas frescas, isto é, no inverno!

Então, para que comer esse tipo de alimento se temos
frutas frescas em abundância em nosso território? Além do
mais, frutas secas são excelentes fontes de fungos...

Produtos *light* e *diet*
(inclusive refrigerantes)

Retiro por razões óbvias. Fazem parte dos produtos industrializados que solicito ao paciente que evite a fim de minimizar a carga de contaminantes em seu organismo. E aqui

me recordo de nosso querido e saudoso padre Léo numa palestra sobre o cristão *light*. Ele dizia que esse tipo de alimento *light* ou *diet* não é para gordo emagrecer e sim para magro não engordar...

E AGORA, DOUTORA, O QUE EU VOU COMER?

É a pergunta que mais escuto depois de explicar meu protocolo. Parece que se tiramos leite e seus derivados, glúten e soja da vida dos pacientes não haverá mais nada para comer.

Se as pessoas pensam que vir ao meu consultório é apenas receber uma lista com restrições de alimentos, eu digo que é justamente o contrário. Vamos ampliar a lista do que se come no dia a dia, mas respeitando a famosa sazonalidade quando os alimentos estão melhores, mais baratos e, principalmente, com menos agrotóxicos.

Para facilitar a vida de todos, resolvi aproveitar a passagem do *Chef* Renato Caleffi pelo meu consultório após um estresse que o fez engordar mais de 15 quilos em pouco mais de um ano e juntos escrevemos um livro cheio de receitas maravilhosas, práticas e fáceis de fazer, esteja o paciente ou leitor em qualquer parte do Brasil, tendo em vista que nosso país tem dimensões continentais.

Foi assim que nasceu o livro *Escolhas e impactos — gastronomia funcional* (Edições Loyola) com receitas para café da manhã, lanches, refeições completas, pratos únicos (tão práticos nos dias de hoje) e, inclusive, sobremesas.

Agora você não tem mais desculpas para não se alimentar bem e de forma prazerosa. Bom apetite!

FINAL

Termino este livro com o testemunho de uma paciente que traduz tudo o que eu espero que meu trabalho reflita na vida das pessoas.

Conheci a nutrição funcional, sem saber exatamente do que se tratava, graças a uma entrevista com a doutora Gisela Savioli na TV Canção Nova, no final do ano de 2009. Naquele dia, fiquei sabendo também que era esposa do doutor Roque Savioli, médico de nosso querido padre Léo, que transformou minha vida desde um encontro em 2002.

Coincidência ou providência, buscava insistentemente uma nutricionista que me levasse a ter uma alimentação direcionada para a saúde e não apenas para o emagrecimento, pois sabia que ao equilíbrio alimentar segue-se o emagrecimento. É uma questão lógica. Além disso, a cura da alma incita a cura do corpo. Trata-se de um processo natural e sobrenatural.

Comecei a fazer minha reeducação alimentar em fevereiro de 2009, após ouvir atentamente os argumentos científicos da doutora Gisela durante a primeira consulta, que durou duas horas. Com uma pasta na mão contendo uma lista de todos os alimentos proibidos e permitidos naquela primeira fase de seu protocolo, eu não poderia comer, em hipótese alguma, leite e derivados, glúten e açúcar.

A primeira dificuldade que pensamos ser um empecilho para a vida social é a restrição aos restaurantes e mesmo aos convites para jantares em casa de amigos. Ainda assim, decidi acreditar e seguir seriamente as recomendações prescritas. Senti falta apenas de nosso tradicional pãozinho no café da manhã, mas logo percebi que poderia ser substituído por outros alimentos sem glúten igualmente saborosos.

Já na primeira semana, verifiquei um bem-estar que jamais havia experimentado, pois comprovadamente muito havia melhorado: disposição, leveza, digestão, funcionamento do intestino. Emagreci sete quilos ao final de um mês, e atualmente não consigo mais digerir a lactose, o glúten e o açúcar. O mais importante é que mesmo que eu insista em comer um desses alimentos o mal-estar virá, e as consequências da não digestão são muito desagradáveis.

Hoje, ao pensar na minha antiga alimentação, percebo que aderir à nutrição funcional é, antes de tudo, uma questão de fé e de ciência, ambas não incompatíveis, mas complementares. Fé, porque temos que acreditar que toda nossa saúde, física, emocional e espiritual, ficará curada e liberta de todos os produtos químicos que tanto nos prejudicam antes mesmo de comprovarmos a eficiência da nutrição que acreditamos funcionar.

À fé alia-se a ciência, pois não se trata de algo empírico, mas de resultados de grandes pesquisas e estudos na área dos alimentos e suas consequências nos órgãos do corpo humano.

Somos o que comemos. Apesar de ser uma frase popular, contém uma grande verdade científica. Haverá muitas pressões sociais, sobretudo em relação à lactose, mas, como disse, vale a pena acreditar e comprovar. Hoje posso afirmar, com segurança, que a nutrição funcional mudou minha qualidade de vida numa escala até então jamais imaginada por mim.

Era exatamente aqui que terminava o livro, em sua 3ª edição. Já havia dado aprovação para uma nova edição, quando abri meu *e-mail* e vi o testemunho mencionado a seguir.

Imediatamente o encaminhei para a editora, pedindo que verificassem a possibilidade de incluí-lo. Como sempre, atenciosa e prestativa, Edições Loyola disponibilizou mais essa solicitação.

Gisela,

Hoje o contato é para compartilhar/registrar um sentimento que estou vivendo de forma consciente pela primeira vez na minha vida!

Começamos a conversar no final do ano passado e a minha expectativa era ficar de bem comigo mesma e perder peso... coisa que sempre foi a prioridade em todas as demais tentativas com outros diversos profissionais (e não foram poucos!).

Tive algumas conquistas, mas eram sempre pontuais e não se mantinham... tudo era proibido e, ao menor deslize, as coisas voltavam ao ponto de partida. Vale ressaltar que sempre fui "saudável", isto é, na medida do que conhecia até então.

No decorrer dos nossos encontros e das tarefas, que procurei cumprir sem "neuras" (hoje sem glúten e quase 100% sem lactose), não perdi peso... ganhei FELICIDADE.

Não sei bem como a "maldita" balança não muda o número que insiste em continuar a me mostrar, mas o fato é que "desinchei". Acho que esta é a palavra que melhor define o que percebo.

Atualmente, chego a vestir manequim 36 e me assusto (e olha que eu nem quero calças 36).

Todas as pessoas, sem exceção, me dizem que estou MUITO mais magra, apesar de não me enxergar assim, mas de fato estou vivendo a PLENITUDE comigo mesma. E isso não é tudo.

Durmo agora muito melhor do que sempre dormi, pois desde a minha adolescência tive sono muito leve. Depois do nascimento das minhas filhas, comecei a ter insônia e acordar várias vezes durante a noite.

Ansiedade? Nem me lembro muito bem (meu marido, o amor da minha vida, sabe bem como era), mas ela deu lugar ao silêncio calmo de alguém (eu) que agora ouve mais do que antes, inclusive a mim mesma.

Sei identificar o que o meu corpo pede, tanto em relação à comida como a "dar um tempo" quando é preciso e diminuir a velocidade das atividades, do trabalho... Aprendi a escolher mais e melhor o que quero e devo fazer. Diferente do "ter de fazer"...

A atenção também mudou. Antes tinha dificuldade em memorizar detalhes. Guardava sempre o "macro" de tudo e, agora, quando é importante, guardo bem o que deve ser lembrado. O mais interessante é que as memórias estão muito mais vivas e emocionais também. Não são dos fatos que lembro, mas do sentimento deles. E gosto muito desse novo jeito.

Descobri um mundo de coisas deliciosas sem glúten e sem lactose. No início, pareciam mais restrições de um novo conceito de perder peso.

Sempre gostei de preparar as "comidinhas" em casa. Hoje elas têm um sabor muito mais especial! Têm VIDA, SAÚDE e muito SABOR! E o melhor é saber, depois de comer, que me alimentei de maneira saudável!

O que não mudou: continuo me dando de presente muitos momentos especiais ao lado de meu marido, regados a um bom vinho!

O que mudou muito: viajo com um *kit* básico na mala com todas as coisas que posso comer!

Novos hábitos:

— Não existe mais elevador na minha vida e pode ser um ou nove andares; subo e desço pelas escadas sempre e, como não consigo fazer exercícios regularmente, subo e desço cinco andares, no mínimo três vezes por dia. Isso tem feito a diferença.

— Estaciono o carro na vaga mais distante, no *shopping*, na fábrica, em qualquer lugar, pois isso me obriga a andar um pouco mais.

— Como estou sem a minha faxineira há quatro meses, acredite, uso a casa como academia: lavo banheiros, limpo chão, passo roupa e, num desses dias, cheguei à marca dos 9.325 passos (odeio o aparelhinho que conta os passos!).

Minha filha, que já esteve com você, está surpreendentemente fazendo tudo. Ela cozinha "macaxeira" para o jantar e me liga para contar que "acertou fazer um bolo com farinha sem glúten e que ficou delicioso!".

Ela está feliz com os novos hábitos e tem encontrado em Blumenau novos endereços para comprar alimentos sem glúten e sem lactose.

Minha outra filha, que mora em Maceió, também vai conversar com você; estará em São Paulo entre agosto e setembro. Assim que tiver a data definida, ligarei para agendar.

Para fechar a história com chave de ouro, consegui que o meu marido marcasse uma consulta com você. Já está lendo o livro e disse ontem que está gostando muito!

Agora você tem mais um grande desafio pela frente! E eu estarei nos bastidores para ajudá-la. Ele PRECISA perder peso e equilibrar muitas coisas que o obrigam hoje a tomar muitos remédios.

Estou muito feliz porque ele vai conversar com você. E acredite, já disponibilizou várias datas nos meses de setembro, outubro e novembro para os retornos. Faça com que ele deixe tudo agendado. Eu vou insistir também.

Obrigada, Gisela, por tudo que nos inspirou até agora, isso porque acredito que ainda estamos só no começo.

Que Deus a ilumine e continue inspirando você para inspirar muitas vidas!

Um abraço da sua ex-IMpaciente!

Realmente, não era possível deixar esse lindo testemunho para uma próxima edição.

Agradeço a todos os pacientes esses lindos relatos que, espontaneamente, enviam em agradecimento.

É uma grande parceria que tem dado certo: eu entro com conhecimento, estudo e dedicação acadêmica e vocês, com a grande boa vontade de colocar tudo que prescrevo em prática. Mas acima de tudo está Deus, que nos quer saudáveis para fazer deste mundo um lugar melhor. E Ele conta conosco!

REFERÊNCIAS BIBLIOGRÁFICAS

TRANSIÇÃO NUTRICIONAL: DA DESNUTRIÇÃO À OBESIDADE

ABRATT, R., GOODEY, S. D. Unplanned buying and in-store stimuli in supermarkets. *Managerial Decis. Econ.*, 11 (1990) 111-121.

BROWN, C. M., DULLOO A. G., MONTANI, J. P. Sugary Drinks in the Pathogenesis of Obesity and Cardiovascular Diseases. *Int. J. Obes.*, 32 (2008) 528-534.

CARREIRO, D. M. *Alimentação, problema e solução para doenças crônicas*. 2. ed. São Paulo, 2008.

DIEZ GARCIA, R. W. Reflexos da globalização na cultura alimentar: considerações sobre as mudanças na alimentação urbana. *Rev. Nutr.*, v. 16, n. 4 (2003) 483-492.

HAWKES, C. Marketing de alimentos para crianças: o cenário global das regulamentações. Organização Mundial da Saúde. Brasília, Organização Pan-Americana da Saúde; Agência Nacional de Vigilância Sanitária, 2006.

KAC, G., VELASQUEZ-MELENDEZ, G. A transição nutricional e a epidemiologia da obesidade na América Latina. *Cad. Saúde Pública*, v. 19, 2003, supl. 1, p. S4-S5.

LANG, R. M. F., NASCIMENTO, A. N., TADDEI, J. A. A. C. A transição nutricional e a população infantojuvenil: medidas de proteção contra o marketing de alimentos e bebidas prejudiciais à saúde. *Nutrire: Rev. Soc. Bras. Alim. Nutr.* (= J. *Brazilian Soc. Food Nutr.*), São Paulo, v. 34, n. 3, dez. 2009, 217-229.

NAVES, A. Nutrição clínica funcional: obesidade. São Paulo, VP Editora, 2009.

PASCHOAL, V., NAVES, A., FONSECA, A. B. B. L. da. Nutrição clínica funcional: dos princípios à prática clínica. São Paulo, VP Editora, 2007.

POR QUE É TÃO DIFÍCIL EMAGRECER?

NUTRIÇÃO E SONO

OBESIDADE: UMA DOENÇA INFLAMATÓRIA

CHASENS, E. R. Obstructive Sleep Apnea, Daytime Sleepiness, and Type 2 Diabetes. *The Diabetes Educator*, v. 33, n. 3, maio/jun. 2007.

CRUMMY, F., PIPER, A. J., NAUGHTON, M. T. Obesity and the lung: 2. Obesity and sleep-disordered breathing. *Thorax*, 63 (2008) 738-746.

GOZAL D., KHEIRANDISH-GOZAL, L. Cardiovascular morbidity in obstructive sleep apnea oxidative stress, inflammation, and much more. *Am. J. Respir. Crit. Care Med.*, v. 177 (2008) 369-375.

REFERÊNCIAS
BIBLIOGRÁFICAS

JOHNS, M. W. A new method for measuring daytime slee-piness: the Epworth sleepiness scale. *Sleep*, v. 14, n. 6 (1991) 540-545.

LIPSCHITZ, D. A. Screening for nutritional status in the el-derly. *Primary Care*, v. 21, n. 1 (1994) 55-67.

LOPEZ-JIMENEZ, F. et al. Obstructive Sleep Apnea Implica-tions for Cardiac and Vascular Disease. *Chest*, 133 (2008) 793-804.

MARTIN, C. A. et al. Ácidos graxos poli-insaturados ômega-3 e ômega-6: importância e ocorrência em alimentos. *Rev. Nutr.*, v. 19, n. 6 (2006) 761-770.

MATSUDO, V. K. R., ARAÚJO, T. L. Pedômetros: uma nova alternativa de prescrição médica. *Diagn. Tratamento*, v. 13, n. 2 (2008) 102-106.

———, MATSUDO, S. M. M. Andar: passaporte para a saú-de. *Diagn. Tratamento*, v. 11, n. 2 (2006) 119-123.

NAVES, A. Nutrição clínica funcional: obesidade. São Paulo, VP Editora, 2009.

ORGANIZAÇÃO MUNDIAL DA SAÚDE (OMS). *Physical sta-tus: the use and interpretation of anthropometry*. (Technical Report Series, 854). Genebra, OMS, 1995.

PASCHOAL, V., NAVES, A., FONSECA, A. B. B. L. da. Nutrição clínica funcional: dos princípios à prática clínica. São Paulo, VP Editora, 2007.

SCHWARTZ, A. R. et al. Obesity and obstructive sleep ap-nea pathogenic mechanisms and therapeutic approaches. *Proc. Am. Thorac. Soc.*, 5 (2008) 185-192.

SELMI, C. et al. Inflammation and oxidative stress in obstructive sleep apnea syndrome. *Exp. Biol. Med.*, 232 (2007) 1409-1413.

SOUZA, C. L., ALDRIGHI, J. M., LORENZI-FILHO, G. Qualidade do sono em mulheres paulistanas no climatério. *Rev. Assoc. Med. Bras.*, São Paulo, v. 51, n. 3, maio/jun. 2005.

TASALI, E., IP, M. S. Obstructive sleep apnea and metabolic syndrome: alterations in glucose metabolism and inflammation. *Proc. Am. Thorac. Soc.*, 5 (2008) 207-217.

TASALI, E., MOKHLESI, B., CAUTER, E. V. Obstructive sleep apnea and type 2 diabetes. *Chest*, 133 (2008) 496-506.

TSUJIMURA T. et al. Correlations of sleep disturbance with the immune system in type 2 diabetes mellitus. *Diabetes Research and Clinical Practice*, 85 (2009) 286-292.

WORLD HEALTH ORGANIZATION (WHO). Obesity: preventing and managing the global epidemic — report of a WHO consultation on obesity. Geneva, WHO, 1997.

AMBIENTE OBESOGÊNICO

ADAN, G. E. et al. Fish as diet resource in North Spain during the Upper Paleolithic. *Journal of Archaeological Science*, 36 (2009) 895-899.

ALVES, S. T. *A contaminação de alimentos gordurosos através da migração de plastificantes do tipo DEHA e DEHP no filme PVC*. Monografia de Especialização (apresentada ao curso Qualidade em Alimentos). Brasília, Centro de Excelência em Turismo/Universidade de Brasília, 2009.

ANVISA. *Programa de análise de resíduos de agrotóxicos em alimentos (PARA)*. Nota Técnica para divulgação dos resultados do PARA de 2008. Brasília, 15 abr. 2009.

BAILLIE-HAMILTON, P. F. Chemical toxins: a hypothesis to explain the global obesity epidemic. *J. Altern. Complement. Med.*, 8 (2002) 185-192.

————. Chemical Toxins and Obesity. *J. Altern. Complement. Med.*, v. 8, n. 4 (2002) 218-223.

BOAS, M. et al. Environmental chemicals and thyroid function. *European Journal of Endocrinology*, 154 (2006) 599-611.

CORDAIN, L. et al. Origins and evolution of the Western diet: health implications for the 21st century. *Am. J. Clin. Nutr.*, v. 81, n. 2 (2005) 342-354.

DI COSTANZO, J. L'alimentation préhistorique: alimentation de demain? *Nutr. Clin. Métabol.*, 15 (2001) 124-130.

GOLOUBKOVA, T., SPRITZER, P. M. Xenoestrogênios: o exemplo do bisfenol-A. *Arq. Bras. Endocrinol. Metab.*, São Paulo, v. 44, n. 4, ago. (2000) 1-8.

GRUN, F. BLUMBERG, B. Endocrine disrupters as obesogens Molecular and Cellular Endocrinology. *Molecular and Cellular Endocrinology*, 304 (2009) 19-29.

HYMANN, M. Systems biology, toxins, obesity and functional medicine. *Altern. Ther. Health Med.*, v. 13, n. 2 (2007) S134-139.

KAMBIA, N. et al. Molecular modelling of phthalates — PPARs interactions. *Journal of Enzyme Inhibition and Medicinal Chemistry*, v. 23, n. 5 (2008) 611-616.

LEVY-COSTA, R. B. et al. Disponibilidade domiciliar de alimentos no Brasil: distribuição e evolução (1974-2003). *Rev. Saúde Pública* (*J. Public. Health*), v. 39, n. 4 (2005) 530-540.

NAVES, A. Nutrição clínica funcional: obesidade. São Paulo, VP Editora, 2009.

NEWBOLD, R. R. et al. Effects of endocrine disruptors on obesity. *International Journal of Andrology*, 31 (2008) 201-208.

RICART, W., FERNANDEZ-REAL, J. M. La resistencia a la insulina como mecanismo de adaptacion durante la evolucion humana. *Endocrinol. Nutr.*, v. 57, n. 8 (2010) 381-390.

TABB, M. M., BLUMBERG, B. New modes of action for endocrine-disrupting chemicals. *Mol. Endocrinol.*, v. 20, n. 3 (2006) 475-482.

WAGNER, M., OEHLMANN, J. Endocrine disruptors in bottled mineral water: total estrogenic burden and migration from plastic bottles. *Environmental Science and Pollution Research Environ Sci Pollut Res.*, 16 (2009) 278-286.

NUTRIÇÃO CLÍNICA FUNCIONAL: A NUTRIÇÃO DO SÉCULO XXI
INTESTINO: NOSSO SEGUNDO CÉREBRO

BACKHED, F. Change in intestinal microflora in obesity: cause or consequence? *J. Pediatr. Gastroenterol. Nutr.*, 48 (2009) 556-557.

BIASUCCI, G. et al. Cesarean delivery may affect the early biodiversity of intestinal bacteria. *J. Nutr.*, 138 (2008) 17962-18002.

REFERÊNCIAS
BIBLIOGRÁFICAS

CALLADO, M. C. et al. Distinct composition of gut microbiota during pregnancy in overweight and normal-weight women. *Am. J. Clin. Nutr.*, 88 (2008) 894-899.

CANI, P. D. et al. Metabolic endotoxemia initiates obesity and insulin resistance. *Diabetes*, v. 56, n. 7 (2007) 1761-1772.

————. Change in gut microbiota control metabolic endotoxemia-induced inflammation in high-fat diet-induced obesity and diabetes in mice. *Diabetes*, 57 (2008) 1470-1481.

————. Role of gut microflora in the development of obesity and insulin resistance following high-fat diet feeding. *Pathol. Biol.*, 56 (2008) 305-309.

CARREIRO, D. M. Alimentação, problema e solução para doenças crônicas. 2. ed. São Paulo, 2008.

CARREIRO, D. M., CORREA, M. M. Mães saudáveis tem filhos saudáveis. São Paulo, 2010.

CARREIRO, D. M., VASCONCELOS, L., AYOUB, M. E. Síndrome fúngica: uma epidemia oculta. São Paulo, 2009.

CUMMINGS, D. E., OVERDUIN, J. Gastrointestinal regulation of food intake. *J. Clin. Invest.*, 117 (2007) 13-23.

DIBAISE, J. K. et al. Gut microbiota and its possible relationship with obesity. *Mayo Clin. Proc.*, v. 83, n. 4 (2008) 460-469.

HARDER, T. et al. Duration of breastfeeding and risk of overweight: a meta-analysis. *Am. J. Epidemiol.*, 162 (2005) 397-403.

HE, Z. Q. et al. Vicious cycle composed of gut flora and visceral fat: a novel explanation of the initiation and progression of atherosclerosis. *Med. Hypotheses*, 70 (2008) 808-811.

KALLIOMAKI, M. et al. Early differences in fecal microbiota composition in children may predict overweight. *Am. J. Clin. Nutr.*, 87 (2008) 534-538.

KARAGIANNIDES, L., POTHOULAKIS, C. Obesity, innate immunity and gut inflammation. *Curr. Opin. Gastroenterol.*, 23 (2007) 661-666.

LEY, R. E. et al. Obesity alters gut microbial ecology. *PNAS*, 102 (2005) 11070-11075.

MAHOWALD, M. A. et al. Characterizing a model human gut microbiota composed of members of its two dominant bacterial phyla. *PNAS*, 106 (2009) 5859-5864.

MALAMUT, G. Obésité et flore intestinale. *Gastroenterol. Clin. Biol.*, 31 (2007) 761-762.

NASLUND, E., HELLSTROM, P. M. Appetite signaling; from gut peptides and enteric nerves to brain. *Physiol. Behav.*, 92 (2007) 256-262.

NAVES, A. Nutrição clínica funcional: obesidade. São Paulo, VP Editora, 2009.

NEISH, A. S. Microbes in gastrointestinal health and disease. *Gastroenterology*, 136 (2009) 65-80.

O'KEEFE, S. J. D. Nutrition and colonic health: the critical role of the microbiota. *Curr. Opin. Gastroenterol.*, 24 (2008) 51-58.

PASCHOAL, V., NAVES, A., FONSECA, A. B. B. L. da. Nutrição clínica funcional: dos princípios à prática clínica. São Paulo, VP Editora, 2007.

RAOULT, D. Obesity pandemics and the modification of digestive bacterial flora. *Eur. J. Clin. Microbiol. Infect. Dis.*, 27 (2008) 631-634.

REINHARDT, C., REIGSTAD, C. S., BACKHED, F. Intestinal microbiota during infancy and its implications for obesity. *J. Pediat. Gastroenterol. Nutr.*, 48 (2009) 249-256.

SANZ, Y., SANTACRUZ, A., DE PALMA, G. Insights into the roles of gut microbes in obesity. *Hindawi Publishing Corporation Interdisciplinary Perspectives on Infectious Diseases*, 2008, article ID 829101, 9.

SAVIOLI, R. M. Um coração saudável. 3. ed. São Paulo, Canção Nova, 2010.

TURNBAUGH, P. J. et al. An obesity-associated gut microbiome with increased capacity for energy harvest. *Nature*, 444 (2006) 1027-1031.

VAUGHAN, E. E. Molecular Investigation of the Human Gastrointestinal Ecosystem. *J. Pediat. Gastroenterol. Nutr.*, 40 (2005) S29.

————— et al. The intestinal LABs. *Antonie Leeuwenhoek*, 82 (2002) 341-352.

YAZIGI, A. et al. Rôle de la flore intestinale dans l'insulino-résistance et l'obésité. *Presse Med.*, 37 (2008) 1427-1430.

ALÉRGENOS ALIMENTARES
E INFLAMAÇÃO

CARREIRO, D. M. Alimentação, problema e solução para doenças crônicas. 2. ed. São Paulo, 2008.

CARREIRO, D. M., CORREA, M. M. Mães saudáveis tem filhos saudáveis. São Paulo, 2010.

GARCÍA, C. B. et al. Manifestaciones gastrointestinales de alergia alimentaria. *Bol. Pediatr.*, 47 (2007) 228-236.

HERNÁNDEZ, C. M. A., PINTO, M. E., MONTIEL, H. L. H. Food allergy mediated by IgG antibodies associated with migraine in adults. *Revista Alergia México*, v. 54, n. 5 (2007) 162-168.

IWANIAK, A.; MINKIEWICZ, P. Biologically active peptides derived from proteins — a review. *Pol. J. Food Nutr. Sci.*, v. 58, n. 3 (2008) 289-294.

MARUYAMA, K., OSHIMA, T., OHYAMA, K. Exposure to exogenous estrogen through intake of commercial milk produced from pregnant cows. *Pediatrics International*, 52 (2010) 33-38.

MELNIK, B. C. Milk — The promoter of chronic Western diseases. *Medical Hypotheses*, 72 (2009) 631-639.

PACHECO et al. Associação de aflatoxinas e fungos aflatoxigênicos em castanha-do-Brasil (Bertholletia excelsa H.B.K.). *Ciênc. Tecnol. Aliment.*, Campinas, v. 30, n. 2, abr.-jun. 2010, 330-334.

ANEXOS

Anexo 1. Recordatório alimentar

DATA: ___ / ___ / ___ — DIA DA SEMANA: 2ª, 3ª, 4ª, 5ª, 6ª, Sáb., Dom.

A QUE HORAS ACORDOU: _____

REFEIÇÃO	ALIMENTO	ONDE[1]	COM QUEM	FAZENDO O QUÊ	A ou F[2]	HUMOR
CAFÉ DA MANHÃ H:						
LANCHE DA MANHÃ H:						
ALMOÇO H:						
LANCHE DA TARDE H:						
JANTAR H:						
CEIA H:						

A QUE HORAS FOI DORMIR: _____

1. C = Casa / T = Trabalho / R = Restaurante / O = Casa de Outros
2. A = Ansiedade / F = Fome

Anexo 2. Diário de passos

DIA	PASSOS
1	
2	
3	
4	
5	
6	
7	
8	
9	
10	
11	
12	
13	
14	
15	
16	
17	
18	
19	
20	
21	
22	
23	
24	
25	
26	
27	
28	
29	
30	
31	

LANÇAMENTO!

Dra. Gisela Savioli

**Alimente bem suas
emoções**

Edições Loyola

Este livro foi composto nas famílias tipográficas
Berkeley e *Geometric 706 BT*
e impresso em papel *Lux Cream 70g/m²*

Edições Loyola

editoração impressão acabamento
rua 1822 nº 341
04216-000 são paulo sp
T 55 11 3385 8500
F 55 11 2063 4275
www.loyola.com.br